智慧型手機知識碎片化時代的

現代病「集中できない」を知力に変える 読む力 最新スキル大全

閱讀力最新技術大全

NEW READING SKILL ENCYCLOPEDIA

佐佐木俊尚
TOSHINAO SASAKI

林巍翰 譯

重灌狂人 不來恩 審定

把現代病「無法集中」轉為個人智能，
「輸入」與「輸出」最大化！

方舟文化

前言

我把「最新閱讀技巧」整理出來，寫成書的理由

開篇我想和各位讀者說明一下，關於我為何想要寫作本書的三個強烈動機。

其一——

「佐佐木先生，你到底是用了什麼方法，才能蒐集到這麼多跨領域的資訊呢？」

這是我和許多人見面時，最常被問到的問題。

每天早晨八點，我會在推特（Twitter）[1]和臉書（Facebook）上，介紹大約十篇左右，

※ 全書腳註，皆為繁體版增補內容。

1 審定註：以每則訊息最多二百八十字元（中文一百四十字）為特色的輕量化社群溝通與資訊傳遞平臺（https://twitter.com/）。

不同領域的新聞報導。

而且每一天，我還會利用所有能夠擠出來的零碎時間，用眼睛掃過約一千篇新聞報導的標題。想當然，這些新聞報導肯定良莠不齊，呈現「魚龍混雜」的狀態，而我所做的就是把「龍」給找出來，然後免費和大家分享。

這件事情我從二〇一〇年的年末開始執行，已經成為每天早上一定會做的例行公事了，**而且在幾乎「無休」的情況下，堅持了十年以上**。

我只是一名普通的新聞工作者，並不常在電視上亮相。雖然在知名度較高的報紙和雜誌上有連載專欄，但也不是人盡皆知的暢銷書作家，更沒有如大學教授般顯赫的頭銜。

儘管我不過是順著自己「對知識感興趣」的好奇心，去閱讀大量的資訊，並**持之以恆地「在每天早上，向大家介紹我所找到的『值得一讀的報導』」而已，沒想到推特上的「跟隨者」（Followers）竟然年年增加，目前已達七十八萬之多。**

知道這件事的人，通常會對這個數字感到驚訝：「七十八萬名追隨者，也太厲害了吧！」因為我確實不靠「知名度」和「媒體曝光度」來吸引人。

其實我所做的，只不過是磨練自己的「閱讀力」（読む力），然後加以活用而已。其結果卻是得到了推特上，七十八萬名用戶的關注。

我之所以能擁有這樣的「閱讀力」，和任何天生神力或特異功能，都八竿子打不著任何關係。正如本書之後會提到，我所做的不過我是**找出「符合網際網路和智慧型手機當道**

時代的『新閱讀法』」，然後磨練「個人專屬技巧」，並將「Know-How」體系化後，加以實踐而已。

有意思的是，當我把「Know-How」傳授給其他人之後，得到了不少正面的反饋。例如：**「沒想到竟然有這種閱讀方法啊！」**、**「閱讀報導的方式，發生了根本的改變。」**

有鑑於此，**我才想要把自己正在實踐的「閱讀力」最新「Know-How」整理在一本書裡，和更多的讀者們分享**。這是我寫作本書最初的動機。

「不需要集中力」的「輸入」（Input）與「輸出」（Output）技巧

我想寫作本書的第二個動機，和以下這幾個問題有關——

「最近讀書的時候，都無法集中精神。」

「總是會一直盯著手機看。」

「不一會注意力就不集中了。」

「明明沒有什麼事，但就是會想去碰手機。」

我被人們問到上述這些問題的頻率實在太高了。

每當被問到這類問題時，我總是會毫不猶豫的回答：**「其實根本不需要『集中力』喔！」、「就算精神不集中，一樣能大量『輸入』與『輸出』。」**然後幾乎所有的提問人，都會露出不可置信的表情。

為什麼我敢說得如此斬釘截鐵呢？**那是因為我自己也在親身實踐「不需要集中力的閱讀和產出」**。

身處在這個智慧型手機的時代裡，人們其實需要擁有，以「集中力難以持續」為前提的「新型閱讀方式」以及「新型產出方法」。然而就我個人的觀察，沒有意識到這件事情的人不在少數。

一個人就算沒有集中力，只要他能夠妥善使用並積累「五分鐘的短期集中」，一樣能夠閱讀書籍和文章，並將吸收到的內容，轉變為自己的「智能」。

話雖如此，我絕無否定擁有「能放下智慧型手機，專心讀書」這種高超技能之人的意思。**只是在當今這個時代，對絕大部分的人來說，要他們暫時放下手機，基本上已經是不可能做到的事情了。**

因此我認為，**接受「散漫」、「無法集中精神」是智慧型手機時代的「通病」或「現代病」，反而有利於我們反過來對其加以利用。**

事實上，只要能擁有「與注意力渙散的智慧型手機時代相符的閱讀力」，我們就能有效率地閱讀許多東西，且能完成一定的產出。

本書中，我將會公開所有「不需要集中力」的「輸入」以及「輸出」技術。

讓腦袋保持「創造力狀態」，是有訣竅的

我想執筆本書的第三個理由，源自於閱讀過拙著**《CURATION 策展的時代：「串聯」的資訊革命已經開始！》**、**《層化的世界》**和**《時間與科技》**的讀者們，經常會問我：「要怎麼做才能像佐佐木先生那樣，生得出這麼多的點子來呢？」

除了個人著作的讀者外，在我於二〇〇八年開始，每週固定寫一篇，目前已連載接近七百期的付費專欄**「佐佐木俊尚的未來地圖報告」**（佐々木俊尚の未来地図レポート），以及每天在推特的評論裡都會看到，不少人留言表示：「佐佐木先生經常在文章裡提出讓人驚嘆的想法和點子耶！」

其實在接受各路媒體的採訪時，我最常被問到的，就是類似上一段裡出現的那些問題。

我想寫作本書的第三個動機，也是企圖一口氣回答完所有這類型的問題。

當然我也必須告訴大家，很遺憾的，這個世界上並不存在「無論什麼時候，都能想出

『時間とテクノロジー』
（時間與科技）

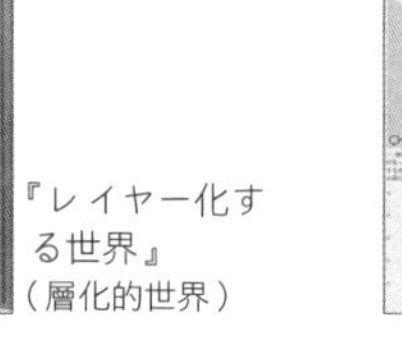
『レイヤー化する世界』
（層化的世界）

『キュレーションの時代』
《CURATION 策展的時代》

好點子的公式」。

但不管任何人，其實只要**為創造出「嶄新想法」和「出色點子」打造好「基礎」，就能確實提高產出的可能性。**

不斷地去閱讀大量書籍和文章，將其內容有效率地轉化為自己的「智能」，這麼做可以說就是在**「讓自己的腦袋超快速化」**。

與此同時，**能讓腦袋處在「充滿創造力的狀態下」，使我們得以靈光一閃，想到「嶄新想法」和「出色點子」的訣竅**，其實是存在的。

- 有效率地閱讀大量書籍和文章，把「知識」儲存在自己體內。
- 藉由把儲存的「知識」妥善地保留在腦海裡，來提高出現「靈光一閃，想到『嶄新想法』和『出色點子』」這種狀態的機率。

正式進入本書的主題後，我會向讀者們說明，以上這兩點不但可以同時完成，而且還具有協同作用（Synergy）。

這是我不斷摸索之後所找出的訣竅，並也長期地加以實踐。

關於筆者個人的做事方法，將在本書的後半一舉公開。

我也曾經歷過，與「知」[2]無緣的生活

在前言的最後，我想稍微談一下個人的「知的歷史」。

雖然現在不少人都會誇「佐佐木先生的閱讀方式很厲害」，但在過去，**我大半輩子所過的，可以說其實是和「知」沒有什麼關聯的市井生活**。

回頭審視過往的人生經歷後我發現，自己所受過的教育和「知」還真沒有關係。

雖然我曾在全國性的大報社工作超過十年以上，但在這段期間裡，自己不過是一名專跑殺人事件這類新聞的記者而已。我除了要對殺人犯進行調查，還得跑到刑警家，乞求他們施捨情報，真的是和「知」八竿子打不著關係。

時間再往前回溯，我孩提時代所處的家庭環境，同樣與「知」無緣。

母親再婚之後，養父對於我想要獲取知識這件事，不知為何一直很反對。或許是因為不希望看到拖油瓶去閱讀那些「好像很厲害」的東西吧，他經常會對我咆哮：「只知道看書，長大以後成不了幹正經事的大人。」

2 譯註：「知」是本書重要的關鍵字。單獨的「知」這個漢字，在日語中有許多意思，例如：知識、智慧或知性等。

除此之外，由於當時我家的經濟條件並不寬裕，**有一陣子一家三口甚至還住過屋內空間只有「四疊半[2]一室」大小的公寓房，因此當然也就沒有多餘的錢來買書了**。

因為這樣，我不太和其他孩子一起玩，而是每天泡在家附近的圖書館裡看書。

然而我上圖書館這件事終究還是被養父發現了，儘管他不准我再去圖書館，但我仍會把釣魚工具放在腳踏車後座，假裝要去河邊釣魚的樣子，出門後，再偷偷溜到圖書館去。好幾次還因為事情穿幫了，遭到養父一頓痛打。

我第一次考大學落榜，在地方補習班準備重考時，養父的朋友從「街金」[4]那裡借了一大筆錢之後捲款潛逃了。結果債權人跑來我家，找作為保證人的養父討債。

當時，只要我在家準備考試，討債的人就會冷不防地來到我家所在的社區，從外頭用力踹社區鐵門，並且大聲嚷嚷：「別躲了，快還錢！」

之後，養父帶著媽媽和妹妹連夜逃跑了，只有我一個人被留在原來的住處，迫於現實，**我一邊幹起送報的工作，一邊到升學補習班上課，然後總算在隔年，考上了東京某所私立大學**。這一切都還得感謝母親瞞著養父，用她少許的打工錢，幫我保了「學資保險」[5]才讓我得以進入大學就讀。

然而對於當時涉世未深的我來說，大學生活相當索然無味，而且由於和東京在地同年級的同學也沒有深交，漸漸地也不去上課了。

我進入大學後迷上了登山，甚至還參與過攀岩以及冬季的岩壁攀登活動。這也導致我越來越少出現在校園之中。

其實就算到了現在，我仍然無法理解自己大學時的所作所為，但我想過去自己之所以會這麼做，或許是在尋找某種不去學校上課的代償行為吧！

就算是與「知」距離如此遙遠的人，還是能有所作為

等我回過神時才發現，**自己竟然在大學裡待了七年之久**。未來的日子該怎麼過，那種事我從來沒去思考，每天渾渾噩噩度日。

當時的我，只有在補習班打工和登山的經驗，從年齡上來看，也已經超過不少企業所設定的上限了，無法期待能以「新卒」[6]的身分找到好工作。

3 編註：「疊」為日本榻榻米的量詞，四疊半換算坪數，莫約二坪多。
4 譯註：「街金」在日語中意指，於特定地區，以小規模經營方式，提供高利息小額信用貸款的業者。
5 譯註：一些日本父母會替自己的子女保「學資保險」。學資保險會在小孩每次升學時，提供一筆「祝賀金」（祝い金）。學資保險中，父母親是保險的簽約者，亦即「保人」，孩子則是「被保險人」，就是祝賀金支付的對象。
6 譯註：日語中的「新卒」指的是應屆畢業的大學生或高中生。

說來也巧，當時我剛好看到了每日新聞社開出「不問學歷」的「新卒」徵才訊息，就試著報名參加考試，並且幸運地合格了。於是，我就這樣進入了不太能拿得上檯面的「事件記者」這一行裡。

現在回頭來看，我的人生過得還真是「順其自然」啊！

我在大學時期幾乎沒有好好上課，雖然在成為新聞記者後，學習到如何進行採訪和快速寫好原稿的技巧，**但這半生一路走來，始終與「知」無緣**。

儘管如此，「閱讀」仍是我從孩提開始直到今天，最喜歡做的事情。**我對「知」一直抱持著很強烈的渴望**。

因此從結束新聞記者職涯、短暫經歷了編輯工作，直到最後選擇成為自由工作者（Freelance），**我始終把「知」放在心裡很重要的位置，並要求自己要不斷地去澆灌它，使其成長茁壯，與此同時我也將其視為個人的無上喜悅**。

就在我辭掉新聞記者轉為自由新聞工作者那個時期，「網際網路」的大浪席捲而來。

從那之後，知識不只存在於大學研究室裡那些既厚重又昂貴的書籍裡，**大量的「知」被公布在網路上，每個人都可以觸碰到「知」的本質的時代，終於來臨了**。

上述轉變讓我感到興奮無比，在轉換跑道成為自由新聞工作者的這二十多年裡，**我藉由妥善運用網路，積累了許多有關如何養成個人「閱讀力」、「知識」和「觀點」的 Know-How。**

本書中想介紹給讀者們的技巧，都是我個人摸索出來的。因此它們既不「正統」，也沒有任何高人為其背書。

儘管如此，我仍希望讀過本書的讀者們都能了解到，**就算是一個與「知」如此無緣的人如我，依然能達到這樣的高度。**

另外，對於那些和我一樣成長於沒有良好學習環境的人，我希望能藉由本書的內容來與你們共享，我們都重視的「知」。

現在正是更加重視「閱讀力」的時代

二〇一一年的「東日本大震災」以及從二〇二〇年起開始全球大流行的新冠肺炎疫情，無不加速了人們對舊媒體的不信任，「只要有看報紙和電視新聞，應該就沒問題了」的時代，一去不復返。

網路上雖然有大量「優質的資訊」，但同時也充斥著許多「奇怪的資訊」，例如：陰謀論和充滿憤怒的毀謗中傷言論等。

該如何從這些資訊裡，挑出優質的部分呢？

我們要做的不只是蒐集「優質的資訊」而已，還要對這些資訊進行深刻的解讀，藉此來提升對這個「世界」的理解。但該怎麼做，才能培養出**得以用不被烏雲遮蔽的眼，來觀看這個世界的能力**呢？

我們所身處的現在，是一個**更加重視「閱讀力」的時代。**

透過閱讀，可以讓人獲得「知識」和「觀點」，但最終，我們還得將這些東西變成自己的「知肉」[7]才行。

筆者寫作本書的目的，就是希望能幫助讀者們做到這件事。

這本書的內容包含了所有我也正在實踐的「閱讀力 Know-How」。

我相信，只要能夠領會本書的內容，讀者們一定都能成為「知的王者」。

佐佐木俊尚

7 譯註：「知肉」為本書作者的造詞。按本書內容的脈絡，可將此詞彙理解為「知識的血肉」，亦即「能派得上用場的知識」。

本書讀者專屬
佐佐木工作室珍貴實景大公開！
紙本書架、電子書櫃、3C 器材、手機畫面全收錄
https://www.bookrep.com.tw/activeimg/book/0ACA0021
帳號：reading 密碼：2022345
請連至上述網址或掃描 QRcode，輸入帳號與密碼後即可觀看。

智慧型手機知識碎片化時代的「閱讀力」最新技術大全

前言　001

序章 基礎認識，現代知識生產的「五大前提」

大前提1

大前提2

第1章 找出「陷阱」，選擇「該讀的內容」
——篩選訊息來源

第2章 網路上該看「什麼」好呢？
——同時獲得優質「推式資訊」和「拉式資訊」的方法

第3章 如何善用社群網站？

——把推特當工具，透過社群網站獲得「拉式資訊」的方法

第4章

資訊整理法：如何閱讀、整理與保存選中的文章？

——「Pocket」是「稍後閱讀」的王者

第5章

要讀「什麼」書，又該「怎麼」讀？

——找書、挑書、具體閱讀法、閱讀名著訣竅，電子書和實體書店之活用

挑書方法 1

購買電子書的九個優點

挑書方法 2

紙本書的購買和保存方式

挑書方法 3

實體書店的活用方式 218

挑書方法 4

活用介紹書本的網路文章 226

挑書方法 5

如何挑選現在應該讀的書呢？ 231

第6章 分別用「兩種保存方式」，是活用知識和資訊的關鍵

——透過「四步驟」，培養自己的「知肉」

第7章 藉由「二刀流」，讓大腦保持乾淨狀態
——用什麼工具，才能徹底提升處理日常雜事的效率，攢出時間？

第8章

活用散漫力，達成「多任務處理」的秘訣

——組合工作項目，累積「短集中」

序章

基礎認識，現代知識生產的「五大前提」

大前提 1

將媒體分成「四種類型」

媒體可以分成四種

在大前提這部分，首先讓我們來把世上眾多的媒體進行分類吧！

我建議的做法是，先把媒體區分如下——

「是內容廣泛但卻淺薄的媒體？或者會往下深掘的媒體？」
「是觀點偏頗的媒體？還是中立的媒體？」

利用上述的區分法進行分類之後，便可以得到二乘以二等於四，總共有「四種類型」的媒體。

接下來，就讓我們從最初的區別開始談起。

「水平媒體」與「垂直媒體」的差異

這個世界上有許多不同的媒體，但不論是報紙、電視或網路，我們都可將其分別歸納到以下這兩種媒體之下。

① 水平（Horizontal）媒體。
② 垂直（Virtical）媒體。

❶ 水平媒體

「水平媒體」是一種**「雖然可以蒐集到眾多資訊，但內容卻流於淺薄」**的媒體。

這種媒體提供的資訊雖然適合用來大致認識這個世界，但卻絕不足以讓我們學習到有關世界的本質。**通信社所做的報導、報紙的頭版和社會版面、電視的談話性節目、大多數的新聞節目以及週刊雜誌等**，都屬於「水平媒體」。

在蒐集資訊時，除了社群軟體（SNS）外，許多日本人也會使用「雅虎新聞」（ヤフーニュース）、「SmartNews」（スマートニュース）或「Gunosy」（グノシー）等著名的新聞APP。

這些新聞ＡＰＰ沒有例外，也都屬於「水平媒體」。

利用這類新聞ＡＰＰ雖然在蒐集廣泛資訊時很方便，但**「因為其資訊源頭大多來自報章雜誌或電視節目，所以能提供的資訊大部分都較為膚淺」**。

另外，這類ＡＰＰ因為較少會出現個人的部落格或隨筆記事，**所以不太會納入各方專家自己發表的文章**。

❷垂直媒體

另一方面，「垂直媒體」則是**「會去徹底深掘事件內幕並進行分析」**的媒體。

以紙質媒體來說，**專業的財經雜誌即屬於垂直媒體**，另外像ＮＨＫ電視臺的**「NHK特集」**（ＮＨＫスペシャル）和**「今日焦點」**（クローズアップ現代），以及富士電視臺的**「The Nonfiction」**（ザ・ノンフィクション）和ＢＳ朝日電視臺的**「朝日紀錄片」**（ザ・ドキュメンタリー）等節目，都是以深度採訪和分析贏得閱聽人的好評（當然不能否認，這些節目有時候也會出現一些奇怪的內容）。

網路上也有像**「東洋經濟 Online」**（東洋経済オンライン）和**「DIAMOND online」**（ダイヤモンドオンライン）等財經類的媒體，或是像**「現代 Business」**（現代ビジネス）和**「文春 Online」**（文春オンライン）等一般公司經營的媒體，還有像「SYNODOS」（シノドス）這種學術型的媒體，它們無不以網站內有許多優質好文章，而得到各界的好評。

然而比起閱覽上述這些網頁的內容，更重要的應該是**去關注那些在網路上，各路專家們所經營的個人部落格以及會有專家在上面發表文章的社群媒體**。

有關如何關注這些專家們的具體方法，之後會再進行詳細的解說。我個人早已經深深地體會到，現在可真是一個能在部落格和社群媒體等處，免費讀到專家們精闢見解的好時代啊！

區分「中立」或「偏頗」的媒體

但我希望讀者們要注意，並非所有的「垂直媒體」都值得信賴。**這類媒體雖然的確會對事物進行深度的探究，然而內容中所帶的偏見也不少**。

之後我會提到，這類「有偏見的媒體」應該盡量避開為好，不然至少要在使用時，意識到它們所持有的特定立場。

因為要是不多加注意，很容易就會掉進「陰謀論」的陷阱中。

看到這裡，我們已經知道**要在「平行媒體」和「垂直媒體」這兩種分類之外，再加上「立場偏頗」和「立場中立」兩項，來對媒體進行區分**。

把上述四種分類進行交叉組合後，可以得到下面這四種類型的媒體——

平行媒體 × 中立＝新聞ＡＰＰ、通信社。
平行媒體 × 偏頗＝新聞報導、電視的談話性節目。
垂直媒體 × 中立＝部落格和專業雜誌裡的專家意見。
垂直媒體 × 偏頗＝陰謀論。

想必你已經能夠發現到，**「平行媒體並不必然等於糟糕又淺薄的內容」**，而**「垂直媒體也不皆為有深度的優質內容」**。

我們應該要認識到，不論是「平行媒體」或「垂直媒體」，內部其實都潛藏著名為「偏見」的陷阱。

大前提 2

打造「輪廓↓觀點↓全貌」的流程

一篇報導只能讓人掌握事情的「片斷」

在當下這一刻，有許多事情正在全球各地發生，接著它們將會在網路、報紙和電視上流傳開來。

一般人很容易被眼前所看到的新聞帶著走，卻不見得能夠去理解這些新聞。

不論是什麼樣的事情，要想立刻掌握住整體的內容並不容易，能夠做到的，大概也只有該領域的專家而已。

但要是讀者們能夠**知曉解讀新聞的「流程」，然後順著流程來閱讀新聞，就能掌握住新聞的「全貌」**。

對於某件事情，若我們只讀了一篇相關報導，是無法了解其全貌的。這所謂「一件事情的全貌」，可以說就彷彿一幅完成的拼圖。

話雖如此，一件事情的全貌並不是那種有好幾百片、需要花費數週甚至數個月時間，才能完成的拼圖。雖然每件事情的內容各不相同，但我認為，要拼出事情全貌的拼圖數量，最多也不會超過十片。

重要的是，我們絕不能只因為讀了一篇報導，就沉浸在「我已經了解事情全貌」的滿足中。要提醒自己，就算讀了一篇報導，但**「僅靠單篇文章的內容，只能說是知道了整件事的其中一個片段而已」。**

擁有「不同觀點」才能看見「全貌」

要想掌握事情的全貌，還需要經過以下幾道流程。

❶藉由「平行×中立」媒體來獲得「新聞的輪廓」

首先要做的，就是掃過「平行×中立」媒體，藉此來獲得「新聞的輪廓」。

大家都聽過「5W1H」吧，它指的是何人（Who）、何時（When）、何地（Where）、為何（Why）、如何（How）以及什麼（What），這六個疑問的集合。

使用平行媒體能幫助我們大概知道「5W1H」的內容。而「5W1H」所呈現的，可以說，就是一件事的「輪廓」。

❷藉由「垂直 × 中立」媒體來得到「不同的觀點」

若只有「輪廓」，並沒有辦法讓我們了解新聞事件發生的背景以及事情的整體樣貌。且在大部分情況下，背景和整體樣貌也絕不那麼單純。因此我們唯有以「不同的觀點」來看新聞，才能逐漸看懂新聞。

因此，**我們需要擁有不同的「觀點」**。

而**「垂直 × 中立」媒體正好可以幫助我們完成這件事**。

❸認識「不同觀點」後，就能抓到「新聞的全貌」

在擁有「不同的觀點」後，總算是可以看到「新聞的全貌」了。

只讀一篇報導文章，其實不過是獲得了一個「點」而已，我們需要透過不同的觀點來看事情，才能捕捉到「立體」的形象。

而這也才是事情真正的全貌。

希望讀者們能把**打造「輪廓↓觀點↓全貌」的流程**銘記在心。

大前提 3

「閱讀」的主要目標，是為了得到「多元觀點」

獲得「多元觀點」是閱讀的主要目的

大前提三，**我們之所以要去閱讀的主要目標之一，是為了「得到多元觀點」**。

當一個事件發生之後，若只是讀了一篇報導就覺得「自己對這件事已經很懂了」，是相當危險的事情。

真正的「懂」，應該是要獲得有關這件事情的「多元觀點」，並能「從不同的角度來觀看這件事情」。

在這個複雜的社會中，不可能存在「只有單一觀點正確」這樣單純的事情。

就算在我們認知了「一個觀點」，覺得自己好像了解了些什麼，仍應該去學習「其他的觀點」。如此一來就能體會：「哇！事情竟然可以這麼去理解！」這樣充滿新鮮感的驚奇，增進認知上的深度。

一個人越是能夠增加他的「觀點」數量，獲得不同「新觀點」，那麼他就能夠增進自己對於「理解」這件事的廣度與深度。

沒有正確答案，只有多元觀點

現實社會和算數題目不同，不太可能出現所謂的「正確答案」。

我們所能做的就是要清楚認識到**「不存在正確答案，但有多元觀點」**這個原則。

對於正在發生的事情或事態，我們要去找出像是「竟然有這樣的觀點」或「原來還有那種思考方式」這些「多元觀點」，然後透過它們來掌握住事情的全貌。

新聞其實就像一頭「大象」。由於大象的體型過於龐大，所以渺小的人類很難理解「大象的整體」。有些人明明只用「單一視角」來判斷事情，卻喜歡把「用俯瞰的視角來理解」這種很高尚的說法掛在嘴邊，我敢說，這種人絕對做不到「俯瞰」。他們不過是以傲慢的態度，看到了大象的腳而已。

我們若只看到了位在視線下方的大象腳，可能會誤以為大象是腳上沾滿泥土且不太靈

光的動物。但事實上，大象可是一種厲害的動物。另外，也有些人可能會想站在高臺上來觀察大象，但這麼做其實也只能看到牠的背而已。

若想以俯瞰的方式來觀察大象，我們還需借助「多元觀點」才行，不但要看大象的前、後腳，還要用手直接碰觸大象的皮膚——這樣才算是認識了大象的整體。

不過就算做到這樣，我們對於大象可能還是只有一個模糊的印象而已。

因此可以說，**最重要的是持續保持謙虛的態度，提醒自己「我對大象的全貌仍然不是很清楚」**。

「謙虛」是人們面對「知」的態度

在網路上時常可以看到，有些人會以「反智主義」（Anti-Intellectualism）一詞來稱呼與自己持相反意見的人。但我認為，**持有這種「我頭腦比你好」的想法，其實正是在拉大與「知」之間的距離**。

其實，使用「反智主義」來指稱別人「頭腦不好」或「沒有人文素養」，原本就是一件不正確的事情。

「反智主義」一詞，為美國學者理察・霍夫施塔特（Richard Hofstadter）所創，該詞的原意是指，社會精英和知識分子容易輕視大眾，**所以人們應該更加關注和批判「世界上精英與權力的結合」**。

因此，如果是按照原意來翻譯的話，「反知識人主義」會是比較合適的選擇，而不是用像「你們是笨蛋」這種膚淺的詞彙來呈現。

我認為當人們在面對「知」的時候，應該要保持**謙虛**的態度。**只有對知保持謙卑，人們才有可能容得下「多元觀點」以及「不同的意見與看法」。**然後了解到，世界上原來也存在著與自己的想法不同甚至是對立的意見。

如此一來，你將不會再氣呼呼地指責別人「你是反智主義者」，而是能帶著驚奇與歡喜心情，以「原來還有這種思考方式啊」的心態來面對他們。

成為這樣「有知性的人」，不是挺好的嗎？

為了讓自己能夠成為這樣的人，我們需要實際去閱讀網路上的文章和紙本書籍，然後還要能保管和活用所蒐集到的優質知識和資訊才行。

本書中，我將會徹底把這些方法毫不藏私地與大家分享並解說。

大前提 4

最終目標是把從閱讀中獲得的「知識」和「觀點」轉化為「知肉」

只要擁有「多樣的知識和觀點」就能獲得「多元概念」

大前提四要談的是，**培養個人「知肉」這個最終的目標**。

在大前提三裡筆者提到，若能從「閱讀」中獲得「多樣的知識和觀點」，我們就能**以立體的視角掌握事情，對其進行認識**。

而這一節，就讓我們在前面的基礎上更進一步深入。從蒐集到的「多樣資訊和觀點」中，掌握住「多元概念」。

因為這部分的內容我會在第六章裡做詳細說明，所以在這一節中僅先提綱挈領地稍做個介紹。

前面我曾提過，新聞其實就像是一頭「大象」，那麼請大家思考一下，我們該怎麼做才能掌握牠的全貌呢？

如果只是個別去觀察大象的腳、鼻子和皮膚的話，當然無法知道一頭完整的大象是怎麼一回事。但若除了上述的部位外，我們還去關注更多地方，那麼最終就能逐漸地掌握大象的全貌了。

大象的腳和鼻子的形狀，以及牠皮膚表面的粗糙觸感等，都只是「零碎的資訊」而已。然而，只要我們能夠把這些「零碎的資訊」在腦袋中統整起來，就能拼湊出一隻完整的大象。

可以說，這就是大象這種動物的**「概念」**。

「概念」一詞乍聽之下好像有點深奧，說得簡單一點，就是**把「多樣的資訊和觀點」按照順序統整起來，使其形成一個故事或一件事情的全貌**。

集合「不同概念」，就能勾勒出「世界觀」

如果我們可以把捕捉「概念」這件事在每天的日常生活中加以實踐，就能在自己腦中累積「不同的概念」。

而當**「不同的概念」累積到一定的數量後，接著就能勾勒出「世界觀」了**。

有人會問，**「世界觀」**又是什麼呢？

讓我繼續用大象的例子來做解釋。

非洲莽原是大象的居所，莽原上同時還棲息著不同的動物。當我們蒐集到越來越多的資訊後，會逐漸發現到，原來這片土地上還有各類植物，以及丘陵、河川、草原等多樣的地形風貌。甚至還能知道這裡的天空有多麼藍。

只要能夠獲得「多元知識與觀點」，除了「大象的概念」之外，我們還會知道「獅子的概念」以及「斑馬的概念」。

除此之外，諸如大象、獅子和斑馬所生活的那片「名為非洲莽原的草原，是一個什麼樣的地方？」亦或「擁有莽原的熱帶地區氣候為何？」這一類的「概念」，也能逐漸為自己所熟知。

藉由**把多種不同「概念」加以組合，我們就能對「莽原是一個什麼樣的世界？」更加了然於心，還可以光想像就在繪圖紙上畫出一幅莽原的圖像**。

這張圖，就是莽原的**「世界觀」**。

等進入了本書的「正篇」，我會進一步說明在學會掌握「世界觀」後，該如何進一步加以活用。

活用的方法相當地多元，你將可將其應用在自己的工作、生活方針、行動準則或人生目標上。

其實不論哪一種活用方式都好，**重要的是要能把好不容易學到的「世界觀」給牢牢地記住**。

從「世界觀」來培養自己的「知肉」

大家應該都聽過「血肉」一詞吧，從字面上可以知道該詞所指的是「血液」與「肉體」，亦即「構成我們身體的東西」。

另外，血肉一詞在本書裡，筆者會以**「知肉」**來稱呼。

我希望讀者們在學習到「世界觀」後，也要把它變成自己的血肉。學到「世界觀」，並將它培養成自己的「知肉」。

這就是我認為**「閱讀」這件事最終所要達到的目標**。

大量閱讀。

↓

獲得「知識」和「觀點」。

↓

透過「知識」和「觀點」來掌握「概念」。

↓

擁有許多「概念」後，勾勒出「世界觀」。

↓

藉由「世界觀」來培養自己的「知肉」（閱讀的最終目的）。

具體做法和實例我會在第六章再做詳盡解說。

但整個的流程大概就如上圖所示。

大前提 5

「沒有集中力」的現代人，要反過來利用「散漫力」

工作中就是會想去看那些「有的沒的」

大前提五，是現代人所無法迴避的一大特性。

唯有**先承認「現代人沒有集中力或集中力很難維持」**這個前提，**我們才有可能反過來活用「散漫力」，使其與知性生產結合在一起**。

我們無須強迫自己保持精神集中，重要的是**故意反其道而行，反向利用「漫不經心」，來提高做事的效率**。

就算注意力不集中，只要我們能把「散漫的程度」掌控好，亦即活用「散漫力」，那麼還是能處理好手頭上的工作。

我經常聽到有人會抱怨，自己有「精神總是難以集中」的問題，然而**「集中力」其實**

一點兒也不需要呢！

這也是我想藉由本書傳達的訊息。

「把手機放下」是不切實際的要求

不知道你是否也為「集中力」的問題所苦呢？

走進書店會發現，架上陳列著一堆有關如何「提高注意力」、「只要這麼做，就能增強集中力」的書籍，就連網路上也時常能看到類似的文章。

「只要定下明確的目標，就能維持你的幹勁」、「適度地活動筋骨」或是「攝取咖啡因」等內容還算可靠的，我甚至看過「別再碰手機了」和「不要勉強自己，休息去吧」這樣的文字。

然而在現代，就算人們放下手機，也還是能在電腦上使用社群軟體。

而且**只要是待在有網路可使用的環境裡工作，那麼就算讓手機離自己遠遠的，仍然還是得面對自己總是「會去看一下和工作沒有任何關聯的東西」**。

另外，雖說「不要勉強自己，休息去吧」也相當重要，但一個人若因「可以休息啦！」而鬆懈下來，有時候就只會變成一整天無所事事、遊手好閒的狀態。

就算是普通人，也會有注意力極專注的時刻

其實「集中力」原本就存在著極大的個人差異。

與一般人相比，頂級運動員的集中力便令人望塵莫及。

我一直很佩服要在數萬人面前，站上甲子園球場投手丘，投滿九局的日本高中棒球隊投手。而那些能夠以平均二十公里的速度，跑完四十公里的世界級馬拉松選手，則早已經超過常人的理解範圍了。

然而**就算是平凡的普通人，其實也是有注意力高度集中的時刻**。

回想一下，當我們在做自己喜歡的事情或玩遊戲時，不正是處於這樣的狀態嗎？

相信大家應該都有「玩電視遊樂器太過入迷，結果忘了時間」這種經驗吧！

在現實生活中，我們不一定每天都能去從事自己感興趣的事情或玩電視遊樂器，也沒有把成為頂級運動員設定為人生目標。但大家卻每天都會去思考，該怎麼做才能有效率地完成手頭上必須處理的工作（有時候，還得去做自己不想做的事情）。

有些人就算和重要的人相處，還是盯著手機看

然而生活在二十一世紀的人們，早就已經對該如何去努力解決「集中力的問題」感到十分厭煩了。

再加上現代人無不人手一支智慧型手機，更造成人們的精神越發容易渙散，注意力更加不易集中。

有時當我們才坐在桌前打開 Power Point，想要認真寫一份企劃書，結果沒過幾分鐘，卻發現自己竟然開始玩起了手機或看推特了。

正當意識到「這樣下去可不行」，這次換成 Line 來訊息了。於是我們在沒能克制住好奇心的情況下，忍不住瞄了一眼。一看之後發現，這則訊息是朋友傳過來的有趣短片連結——想當然，最後我們還是把短片給看完了，並且哈哈大笑。

更有甚者，**有時我們明明是和重要的人待在一起，卻還是想看手機**。

相信不少人應該都有這樣的經驗，在與家人或戀人一起快樂地享受美食的當下，卻因受到習慣影響而會一直去看手機，結果被人給數落了一番。

各位讀者可知道，這樣的注意力渙散，會多大程度降低我們的做事效率嗎？

據說，要是把全體人類浪費在手機上的時間給加總起來，可以在一瞬間蓋好二、三座金字塔。

聽到這樣具體的比喻後，有沒有令你發出一聲嘆息啊？

這個時代的我們無法放下手機

然而，**就算知道了上述情況，生在這個時代的我們仍無法離開手機**。原因在於，一旦重要的訊息發送到手機上，我們就習慣得立刻去處理；去到了一個人生地不熟的地方時，也需要使用手機上的地圖APP，來幫自己定位；當遇到不懂的事情時，我們也會立刻用智慧型手機來查找相關資訊。

可以說，**手機已經成為我們的「第二個腦袋」，是生命中不可或缺的夥伴了**。

那麼在現實中，是否有不用離開手機，又能讓自己不會注意力渙散，還可以提高集中力的方法呢？

如果有的話，該怎麼做才能實現呢？

放棄提高集中力的想法吧！

關於這個問題，筆者在經歷過一番反覆摸索實踐之後，總算是找出唯一解決的辦法

了，而且答案還相當簡單。

那就是**「放棄提高集中力這個想法吧」**。

其實就算一個人沒有集中力也沒關係。

因為集中力說穿了，只是一種幻想而已。

人類的心理其實一點也無法隨心所欲。

一個人越是想著「我要集中精神」，勉強自己坐在電腦前，心情就越會受到「我必須專心才行」的強迫觀念所影響。結果不但原本要做的事情做不成，甚至可能演變為「心裡頭就只想著該如何集中精神這件事」，這樣不就本末倒置了嗎？

晚上睡不著的道理也和上述例子一樣。

相信大家都有類似經驗——因為隔天必須早起，所以得早點睡覺，可是沒想到時間都已經過了午夜十二點，精神卻特別好。

心裡越是想著「我一定要早點睡」，結果越是睡不著。

有意思的是，心裡所想的若是「明天早上沒有要忙的事情，所以今晚幾點睡都沒關係」，我們通常都能立刻入眠。似乎失眠只會出現在隔天必須要早起的夜裡。

前面的例子相信每位讀者都曾經歷過，其實，**這不過是我們過於把意識集中在某件事**

情上所造成的結果。

集中力其實也一樣。

當人們把意識聚焦在「我必須集中精神」的時候，通常就只會得到反效果。然而在面對「不強調集中精神，反而能樂在其中」的個人興趣時，因為焦點沒有放在「集中力」上，結果反而能使自己精神專注。

所以我才說**「要想有意識地提高專注力」不過是一種幻想而已**。

如果你有時間緊抓著這個「幻想」不放，還為此去聽了紓壓放鬆音樂或吃了地中海式飲食，那麼一定也能把精神放在其他事情上。

唯有「悠悠哉哉」才能長時間維持

接下來，讓我們針對「集中力能維持多久」來做進一步思考。

就算有人認為自己「完全沒有集中力」，但我相信應該也不至於「連集中精神三十秒」都做不到吧！

一個人只要沒有罹患會嚴重影響身心的疾病，至少都會有維持數分鐘左右專注的能力。

舉例來說，Youtube 上的短片絕大多數的長度都只有幾分鐘而已，就是因為人們都擁有能在這段時間內看完整部影片的專注力。

另外，電視上的連續劇或談話性節目等，雖然長度約在五十分鐘左右，但我們就算只是在家裡輕鬆觀看，甚至漫不經心地一邊做事一邊收看，也能毫無困難地看完整個節目。反之，若是換成在手機或電腦前聚精會神地觀看連續劇或「ＮＨＫ特集」這類的節目，有很大機率會讓視聽者感到疲勞和厭煩。

著名 Youtuber 的節目影片中有不少時間還挺長的，儘管如此卻還是有許多人看得樂此不疲。這背後其實都藏著創作者想讓要人不必集中精神收看，也可以享受影片帶來之樂趣的巧思。

例如當我們觀看 Hikakin（ヒカキン）[1]的節目時，會覺得好像是自己到朋友家去串門子，和他們高興地聊天。這種影片和完成度極高的大成本電影完全不同，能讓視聽者產生「真希望這種愉快的感覺能夠持續下去」的「沉浸感」。

一些 Youtuber 製作的「遊戲實況」節目，操作的其實也是同一個招數，這類影片能讓人產生一種，彷彿「前些日子自己到朋友家去坐坐時，大家閒著沒事，一起看他的小孩玩電視遊戲」的感覺。

從上面的內容我們可以知道，**唯有「悠悠哉哉」做事才能維持較長的時間**。這麼做既不需要集中力，還能得到愉悅感。

然而，「悠悠哉哉」並不適合用來面對我們眼前必須處理的工作。

因為工作不允許犯錯，除此之外我們有時還得想出些點子才行，真的是一點也不輕鬆愉快！

如果是這樣的話，那我們該如何是好呢？

活用「無法持續的集中力」和「散漫力」

答案其實很簡單。

那就是**反向活用自己那「無法持續的集中力」這件事**。

我知道有不少人都對「沒有集中力，總是精神渙散」的自己感到厭惡，但其實只要活用「散漫力」，就能解決這個問題。

1 譯註：Hikakin（ヒカキン）為日本著名的男性 YouTuber 和遊戲實況主。

流行於日本的「阿德勒心理學」也建議，**人們不應總把注意力放在「自己沒有集中力」這件事上，而是該著重於「自己有散漫力」之上**。

阿德勒想表達的，其實不單只是希望人們能把自身的缺點轉化為優點，或要大家認同自己價值，這類心理層面的內容而已。

「散漫力」其實還是能實際應用於工作上的做事技巧。

就算是沒有集中力的人，或者從阿德勒心理學的角度來說，擁有高超「散漫力」的人，還是都具有能維持數分鐘之久的專注力。

正因如此，這樣的人更應該加以活用自己的「散漫力」。

具體作法是，**最佳化這些僅能維持住數分鐘的集中力**。

儘管能保持「三個小時專注力」的人確實值得佩服，**但就算是只能夠維持「五分鐘專注力」的平凡人，只要能累積三十六個「五分鐘專注力」，不也是三個小時嗎**？

俗諺有云「積沙成塔」，指的就是這麼一回事。

相關的做法筆者會在第八章裡詳細解說。

走筆至此，五個大前提都介紹完了，這裡讓我們來複習一下——

【大前提一】把世界上眾多的媒體加以區分。
【大前提二】活用不同類型媒體，打造「解讀新聞的流程」。
【大前提三】牢記閱讀的目的在於「獲得多元觀點」。
【大前提四】閱讀的最終目標，是把「知識」和「觀點」變成「知肉」。
【大前提五】不要勉強自己保持專注，而是要反過來活用「散漫力」。

把這五個前提都記起來後，本書將要進一步討論具體的「閱讀技巧」。

接下來首先就從要「讀什麼」和「怎麼讀」開始說明。

NOTE

第1章

找出「陷阱」，選擇「該讀的內容」

——篩選訊息來源

從排除「陷阱」和「雜味」開始

相信大家都已經掌握住前面提到的五個大前提了吧！

接下來本書終於要進入**「讀什麼」**以及**「怎麼讀」**的部分了。在正式進入主題之前，我想先問讀者們兩個嚴肅的問題——

你所閱讀的資訊，**內容是否偏頗呢**？

你所閱讀的資訊，**內容是否淺薄而流於表面呢**？

在過去只有報紙、雜誌、電視和廣播的時代，因為資訊量並不多，所以人們在做選擇時並不困難。然而在當今這個網路時代，就算是閱讀能力再天賦異稟之人，也不可能讀完所有線上的資訊。

由此可知，**要培養真正的資訊蒐集能力，首先得從挑選「該讀的東西」開始著手**。

為此，**第一階段需要做到的事情，就是去揪出潛藏在閱讀中的「陷阱」，並排除掉裡頭的「雜味」**。

看「觀點偏頗的媒體」時，要高度戒慎注意

以三個「觀點偏頗的媒體」為例

雖然過去幾乎由報紙掌控了所有資訊來源的狀態並不健康，但因為每個人所能得到的資訊基本相同，所以至少顧及到了「公平」。

但**在網路當道的時代，卻反而出現了「不公平」的現象**。

今天網路上存在著無數媒體，其中有些媒體所提供的內容固然值得信賴，但有些卻充斥著陰謀論等有問題的內容。

下面我來舉出三個「觀點偏頗的媒體」。

觀點偏頗的媒體 ❶ 「大紀元」（https://www.epochtimes.jp/）

「大紀元」這個右派的網路媒體在有關中國的深度報導中，確實有不少真知灼見，但

大家應該要知道，其運營是由宗教團體「法輪功」所負責。

由於法輪功受到中國政府的嚴厲打壓，想當然「大紀元」裡有關中國政府的報導肯定充滿強烈的批判。

雖然筆者並無否定該媒體的意思，但當我們在閱讀大紀元所提供的內容時，應該知道有關該媒體的背景知識會比較好。

觀點偏頗的媒體 ❷ 「LITERA」（https://lite-ra.com/）

「LITERA」（リテラ）雖然在其副標上寫著「再次發現書籍和雜誌裡的知識」，但骨子裡卻是一個極其左派的網路媒體。

光看「LITERA」的文章標題，就不免會讓人以為自己是在閱讀極左的「中核派」[1]或「革馬派」[2]所辦的刊物。

這個網路媒體的經營骨幹，來自《流言與真相》（噂と真相）這本，曾在一九八〇年代風行於日本的雜誌的編輯群。

雖然《流言與真相》在過去曾扛著「反權威」的大旗，是一本立場上不偏右也不偏左，以自由的筆鋒盡情嘲弄兩派的雜誌，但不知為何變成「LITERA」後，卻左派得相當嚴重。另一方面，右派人士也經營不少像「保守速報」之類，提供的資訊內容充滿偏見的資訊統整網站。不論如何，讀者們都應該對立場極端或政黨色彩濃厚的媒體提高警覺。

觀點偏頗的媒體 ❸ 「SPUTNIK 日本 NEWS」（https://jp.sputniknews.com/）

「SPUTNIK 日本 NEWS」（スプートニク 日本 ニュース）是俄羅斯政府經營的通訊社的日文版網頁。

雖然「政府經營」聽起來好像很可靠，但我們要知道，俄羅斯和中國一樣，都是善用**「銳實力」**（Sharp Power）的國家。大家或許並不熟悉「銳實力」一詞，**其意思是以資訊操作等方式，來試圖影響他國的行為**。

「銳實力」源自美國政治學者約瑟夫・奈伊（Joseph Nye）所創造的「軟實力」（Soft Power）一詞。

要想影響其他國家，除了需要有強大的軍事和經濟等「硬實力」外，文化以及教育等柔軟的力量也不可少，這就是「軟實力」。實際上美國在第二次世界大戰後，憑藉著好萊塢的電影和爵士、搖滾、流行音樂，以及常春藤聯盟（Ivy League）為首的高等教育機構，風靡了整個世界。

冷戰時期，曾在軍事和經濟實力上與美國互為犄角的蘇聯，因為完全沒有拿得出手的

---

1 譯註：中核派，日本「革命的共産主義者同盟全国委員会」的簡稱，是誕生於上世紀五〇年代末期的新左派組織，被時任的日本自民黨政府視為「恐怖組織」。

2 譯註：革マル派，「日本革命的共産主義者同盟革命的マルクス主義派」的簡稱，是一個誕生於上世紀六〇年代的新左派組織。

「軟實力」，進而導致自身國力衰退。

蘇聯解體後美國成為世界上唯一的超級大國，一九九〇年代時，原本世人普遍都相信「和平的時代終於要來臨了」，然而一直進入到二十一世紀，我們卻仍然沒有看見一個光明的未來。

目前世界各地不時發生恐怖攻擊，俄羅斯又重新活躍起來，中國的實力也在日漸增強。俄國和中國雖然都欠缺「軟實力」，但卻會對其他國家進行「資訊戰」。

二〇一六年川普（Donald Trump）當選美國總統時，「俄羅斯透過社群媒體，在美國國內進行政治宣傳，成為幫助川普當選的助力」之傳言一時甚囂塵上。

至於中國和俄羅斯在日本國內如何使用它們的「銳實力」，目前的現狀仍未明瞭。

儘管像「SPUTNIK NEWS」這種，對國內影響力並不大的新聞網站，我們還可以拿來當個玩笑看，然而其勢力或許已經在不知不覺中，進入到我們生活的方方面面了。

綜合上述，大家應該要知道在面對那些「觀點偏頗的媒體」時，絕不可輕忽大意。

雖然我不至於呼籲大家「不要看」這些媒體所提供的資訊，**但在閱讀之前，請務必了解其「背景」，並「謹慎以對」**。

網路陷阱對策

七個方法，教你看穿「觀點偏頗的媒體」

一般人究竟該如何才能辨別出「觀點偏頗的媒體」呢？

其實這是一件不容易做到的事情，且沒有固定的手法。

但我認為，**有七個方法可以幫助讀者來做分辨**。

分辨的方法❶ 對事件的描述過於簡單，且喜歡把話說死

發生在社會上的事情大多很錯綜複雜，我們無法簡單地只把某個原因拿來做為解釋一件事之所以會發生的因果關係。

因此一個對「知」抱持真誠心態的人，一定會羅列出好幾種原因，藉由推敲「有證據支持這個原因嗎？」「這個原因有科學上的依據嗎？」等方式，逐一來做檢證，以此推測

出真正的原因。

然而，價值觀偏頗的人可不會去做這種麻煩事。

他們只會告訴你：「其實你不懂啦，真正的原因只有一個！」這樣單純的結論。而且，還喜歡把話說得很死。

要是每一件事情都能立刻得到簡潔明快的答案，那麼人類社會怎麼還會這麼複雜呢？

分辨的方法❷ 把某個人當成「壞人」，煽動對立情緒

我們經常可以在社群上看到，政治立場偏右的人認為「左派的人太不像話了，必須要給他們一點顏色瞧瞧」；相反地，政治立場偏左的人也認為「右翼都是壞分子，一定要對其進行批判」。

近來，既不屬於左也不屬於右，**單純只是「想用語言來攻擊別人」的人正在增加**。下面就是他們會說出來的話：

「高齡者不可原諒，一定要好好批評他們一番！」

「最近的年輕人實在太糟糕了！」

「大企業是這個社會的毒瘤！」

「明明還很年輕卻不在大公司裡好好磨練，跑去搞什麼新創公司！」會講出這種話的人，其發表文章的最初目的，就是為了去攻擊他人。

另外，還有些人看準了「想用語言來攻擊別人」的人可能帶來的商機，於是故意去創作一些專門妖魔化某些個人的文章，以此獲利。

這兩類人說白了，不過就是一丘之貉。

我們在讀這種專門說別人壞話的文章時，雖然能獲得一時的痛快，但卻不會得到任何實質的收穫，而且這類文章通常都帶著極強的偏見。

分辨的方法❸ 注意文章裡是否出現「需要留心的關鍵字」

「真實」、「真面目」、「懦弱」、「撒謊」、「假面具」、「戀棧」。

如果讀者們在一篇文章的標題或內文中看到上述幾個詞彙，那麼就要當心點囉！

若是商業類文章，則要留意「一流和三流」、「很會賺的人」、「年收二千萬的人」這類選詞用字。

其實呢，大家**若在文章裡發現自己平常不會在生活中使用的語彙時，就要對該文章提**

高警覺了。

如果一個人在職場或學校裡說出：「那個傢伙的真面目其實是……。」「我要扒下他的假面具！」這種話，想必大家都會想離他遠遠的吧！

確實，這類措辭強烈的語言，有其需要被使用的狀況。但在一般商務場合中，假使某個人若無其事地告訴你：「我的工作能力很強喔！」「我的年收高達……。」我想你應該不會想和這樣的人深交吧！

可以說，會認為「文章的標題要使用這類詞彙來吸引他人注意」的人，他們的良心都有點扭曲。讀者要做的，就是與其保持一段安全的距離。

對於那些喜歡使用強烈語彙的媒體，我想送他們一句來自《BLEACH》這部漫畫裡的名言。

「不要把措辭強烈的詞彙掛在嘴邊，那樣只會讓你看起來很弱而已。」

分辨的方法❹ 匿名證言或評論過多，新聞的來源不明

若要用一篇文章對實際發生的事情進行解說，作者必須好好地解釋清楚，他是從哪裡得到哪些資訊的。

然而在市面上的雜誌裡，我們往往可以看到**「提供證言的幾乎都是匿名人士」**，這種令人起疑的報導文章。

「檢調相關人士表示」、「熟悉業界的人士表示」、「專家表示」……

社會上的確存在不以匿名為條件就不提供訊息的人，但若是連發表評論的專家都以匿名的方式來處理，那麼就太讓人起疑了。

一位精通某個領域的專家，應該把自己的頭銜和本名讓閱聽大眾知道。

有些記者在寫文章時，經常會在自己的腦中憑空創造出一堆「相關人士」、「專家」和「業界人士」，讀者們可要小心留意才行。

分辨的方法❺ 文章裡出現「擺明就是陰謀論」的內容

從古至今都有許多人願意相信，「這個世界的運作，是由某些人的陰謀所推動的」這種說法。

在二十世紀初葉，「猶太人企圖掌控這個世界」的陰謀論開始出現在世人面前，其中甚至連知名電影導演和汽車公司大老闆，都對這種言論深信不疑。而這個陰謀論日後也成為納粹發起「猶太人大屠殺」（Holocaust）的原因。

從此之後，**每逢世界上有大事件發生，陰謀論就會如影隨形地出現**。

以下列舉幾個代表性的例子：

「阿波羅宇宙飛船根本沒有登上月球，月面著陸的影像其實是在攝影棚裡拍出來的。」

「發生在美國世貿中心的九一一恐怖攻擊事件，其實是美軍自導自演的一齣戲。因為在人們拍攝到的影片中，可以發現飛彈的影像。」

「失事墜落在御巢鷹山的日本航空客機，其實是被美軍給擊落的。」

「三一一東日本大震災其實是一個人工地震。」

上述這些光聽就很荒誕無稽的謠言內容，有時甚至會被包裝成非小說或商業類書籍販售，雖然通篇胡說八道，卻經常可以在書店的架上看到。

市面上還有些以陰謀論為本而創作的電影，由於頗為賣座，造成有更多的人對影片中的觀點深信不疑。

除了大事件之外，在小地方我們同樣能看到陰謀論的影子。例如：在推特上發現有人和自己所持意見相左的時候，某些人就會說：**「這傢伙一定是收了誰的錢。」**或者當發現自己喜歡的藝人離開某檔節目時，某些人會說：**「這背後一定有來自電視臺施加的壓力。」**

這種言論其實也都是**不折不扣的陰謀論**。

希望讀者們都能和陰謀論保持安全距離。

分辨的方法❻ 文章裡毫無根據地出現「被掩蓋的真相」

要戳破陰謀論的方法，說穿了只有一招。

那就是去確認，**關於這個「陰謀」是否可以查到「公開的資訊」**。

在今天這個時代，中央和地方政府已經把許多手上的資訊公諸於世了。

因此若有人**只以「沒有公開的秘密資訊」為依據來闡述「真相」，那麼這個人所說的話，就極有可能是「陰謀論」**。

不可否認，世界上確實存在著「沒有公諸於世的秘密資訊」。例如幾年前，前美國中央情報局（CIA）職員史諾登（Snowden）就曾把美國在全球範圍內搞竊聽的事情公諸於世。

然而像史諾登這樣的例子畢竟極其罕見。

至少在現實生活中，把自己討厭的人在推特上所發表的刺耳言論視為「沒有公諸於世的秘密資訊」來看待，未免也太不合常理了。

再強調一次，**當看到有陰謀論味道的文章時，首先要做的就是去確認其資訊源**。

「我是從前ＣＩＡ情報員那裡聽來的。」

「美軍的機密情報表示……。」

當文章裡出現這樣的句子時，幾乎可以百分之百斷定這就是陰謀論。

分辨的方法 7 過於強調「正確」或「正確答案」

「偏見的問題」不只出現在棘手的政治意識形態（Ideology）領域中，在商業或心靈勵志等類型的文章中一樣屢見不鮮。

本來「商場上」或每個人的「生活態度」，就沒有所謂的「正確答案」。

那些看起來好像是「正確答案」的言論，往往不過是「馬後炮」而已。

有時甚至還把因果關係給搞混了。

舉例來說，日本商業類文章中經常會看到「超一流的人會……」這種標題。

「超一流的商務人士總會在皮包裡放十萬日圓。」

「超一流的商務人士會使用古馳（Gucci）包。」

我就想問，難道只要往皮包裡塞十萬日圓，就能成為成功人士嗎？

省吃儉用買個古馳包，整天帶著它在外頭晃，就能成為一流的人物嗎？

這樣的言論真的很蠢，想也知道答案是否定的。

不容否認，皮包裡的十萬日圓或高級包包，確實可能成為鼓勵自己努力向上的動力，但按照常理來解釋，「超一流的人因為有錢，才有能力總是在皮包裡放十萬日幣」或「因為是超一流的人，所以買得起古馳包」才比較合理。

可以說前面提到的兩個例子，其實都犯了**「倒果為因」**的問題。

這類看起來煞有其事地宣傳「正確」或「正確解答」的文章，經常會犯下倒果為因的錯誤，或是把原本風馬牛不相及的事情給強行牽連在一起。根據我的觀察，這樣的文章近來在網路上有日漸增加的趨勢。

要怎麼解釋這個現象發生的原因呢？其實理由還滿簡單的——還不是因為**有許多人會把這樣的文章內容當真**。

各位讀者可千萬別和這些人一樣啊！

社群網站
陷阱 1

謠言會藉由社群網站進入我們的視野

社群網站裡充斥著來自四面八方的資訊

陷阱，不只會出現在各色媒體所提供的文章裡。

在大家每天生活都會使用的**社群網站裡，其實更是危機四伏**。

今天，社會上發生的所有事情都能在社群網站裡看到。

反之，社群網站裡的資訊也會傳播到社會上。

這樣的資訊流動並非單向而是雙向的流通。不誇張地說，**或許當今這個時代，「社群網站本身，已經可以被當成一個社會來看待了」**。

以「政治」為例來做說明。

過去，政治人物只能從報紙或電視提供的調查，了解自己的民意支持度。只要電視上有名的節目主持人反對某個政治人物，就很可能造成他的支持率暴跌，甚至會影響到政權的維持。

以前民間電視臺的新聞編輯部負責人，甚至可以做出以下發言：

「不管用什麼方法，盡量多做些能促成反自民黨聯合政權誕生的報導。」

「若給日本共產黨表達意見的機會，對其他政黨不公平。」

一九九〇年代裡，類似這樣的言論曾經引起許多問題。從中我們能夠看到「咱們電視臺可以決定輿論方向」這種傲慢的嘴臉。

然而活在當今網路時代的政治人物，對於來自報紙或電視臺的批判已經不那麼放在心上了。

因為現在政治人物可以透過社群網站來了解民意，只要能在社群網站上獲得支持，那麼無論報紙或電視臺怎麼批判他，很多時候都無法造成顯著的影響。

要說**社群網站幾乎已經成為民意的代名詞**，一點也不為過。

可疑訊息會經由社群網站上的人際關係，傳送到你面前

筆者在前面曾經提到，網路上的資訊通常都帶有明顯的「價值判斷」。

這些資訊魚龍混雜，要分辨出好、壞並不容易。因此網路上才會流言滿天飛，連民意

也受到許多奇怪的資訊所影響。

更讓人擔心的是，網路上的可疑訊息，還會經由個人在社群網站裡建立的人際關係，傳送到使用者的面前。

在這裡我希望讀者們不妨問問自己，到底「什麼是社群網路？」這個問題。

我認為社群網站首先應該是「人際關係」的基礎設施。

推特於二〇〇七年問世，過了兩年後於日本掀起一股使用風潮，從那時起，許多使用者開始會在推特上分享一些「午餐時間」、「今天放假，好開心」之類，生活方面的訊息。用戶在推特上的跟隨者或被跟隨者之中，既有現實中的朋友，也有透過網路而熟識的網友。

然而**在不知不覺中，推特逐漸成長為一個吸納了海量資訊的巨大資訊設施**。

使用者看到的訊息由「個人建立的人際網絡」來決定

「人際關係的基礎設施」再加上「資訊的基礎設施」這一層關係後，訊息就會透過人際關係，出現在使用者的眼前。

也就是說，**一個人會看到的資訊是由「你在社群網站上所建立的人際網絡」決定的**。

當然，社群網站上的人際連結若只看個人興趣或工作專業領域，那還沒什麼問題。喜歡棒球的人可以藉由跟隨推特上的棒球選手，源源不絕地獲得關於棒球的資訊；跟隨推特上的農人或農業專家，使用者也能不斷增進自己有關農業方面的知識。

但在現實生活中，人們並不會只關心自己的興趣和特定專業領域，除了這兩項之外，還有很多必須要知道的事情。

為了能夠好好認識這個大千世界，我們要做的是敞開心胸，對任何事物都抱持好奇心。

然而問題來了。

在二十一世紀的社會裡，資訊之間竟然出現了「斷裂」。這個問題在政治、社會和經濟等不容易做出判斷的領域尤為顯著。

「新的斷裂」正不斷擴大

社群網站上每天都在進行沒完沒了的躲避球大賽

近十年來，**「Alternative Facts」**和**「Post-Truth」**這兩個媒體相關用語，開始為世人所熟悉。

「Alternative Facts」的中文翻譯為**「另類事實」**。

二〇一七年時的川普總統就職典禮，參加的人數明顯不多，儘管如此白宮發言人卻在電視上表示：「這是有史以來參與人數最多的一次總統就職典禮。」

當採訪者詢問白宮發言人：「為什麼要撒這種謊呢？」發言人竟回答：「這是另一種事實。」這件讓全球都尷尬不已的事情傳開後，像「說謊也是一種權宜之計」這種扭曲事實卻能廣為流傳的「假新聞」，日後就被稱為「另類事實」。

雖然另類事實聽起來很蠢，**但目前它正在社群網站上蔓延開來**。

許多「怎麼可能會有人相信的謊話」在網路上不斷轉發，而且還能獲得許多「讚」，這種事情早已不是新鮮事了。

「Post-Truth」的中文直譯為**「後真相」**。

自《牛津英語詞典》（*Oxford English Dictionary*）的編輯部，在二〇一六年將其選為年度詞彙後，「後真相」一詞開始為人所知。辭典的編輯對「後真相」的定義為：**「在一個輿論形成時，訴諸情緒或個人信仰的言論，有時往往比客觀事實更具有影響力。」**

由此我們可以看到以下現象——真相到底為何可能一點都不重要，只要符合自己政治信仰的言論什麼都好。

我發現到，抱持這種想法的人在社群網站上不斷增加。

面對這種人時，無論你提出什麼樣不同的觀點，大多數的情形要不是被視而不見，要不就是遭到口誅筆伐。

不論「另類事實」也好，「後真相」也罷，無不是令人感到憂心的現象，而且世態恐怕還會繼續惡化下去。

這點不是我烏鴉嘴，只要大家看看推特上的現狀就會明白了。

推特上抨擊執政黨的團體和支持執政黨的團體，分裂成涇渭分明的兩方，日復一日不分晝夜地進行著永無止盡的躲避球比賽。

世界分裂成兩個陣營，而且待在不同陣營裡的人所看到的景象截然不同。

這就是**二十一世紀的真實狀況**。正在閱讀拙作的讀者們，一定要設法逃脫出這種分裂的世界才行。

專欄

我們正身處一個「新斷裂」的時代

這裡來和大家講一個「古早」的故事。一九九〇年代，在網際網路開始普及的那時，出現了**「數位落差」**（Digital Divide）一詞。

由於會使用網路或電腦的群體和不會使用的群體之間可能出現經濟上的落差，衍伸出「因數位而造成的裂痕」，於是有了「數位落差」一詞。

上世紀九〇年代，智慧型手機尚未問世，電腦操作起來也不容易，網路更令人摸不著頭緒。當時購買一臺電腦的價格和網路的使用費都不便宜，不同地區的網路普及率也存在著極大的差異。因此能夠使用網路的人，通常都得符合「口袋深度夠」、「住在生活機能方便的都會區」以及「擁有一定技術能力」這些難度頗高的條件才行。

那個時候有關「數位落差」的輿論，聚焦在上述這些「條件」所造成的落差，以及由這些落差進一步可能會衍伸出來的經濟差距上。

之後隨著智慧型手機普及，不但每個人都開始能用得上網路了，瀏覽網頁也變得簡單易行，「數位落差」一詞開始為世人所遺忘。

然而與智慧型手機普及同時發生的，是由推特和臉書在當今社會的廣泛使用這個現象，所引起的「新斷裂」之發生。

社群網站陷阱3

「迴聲室效應」很危險，甚至使人際關係出現裂痕

認識「迴聲室效應」的恐怖

「迴聲室效應」[3]是另一種由社群網站所引發的斷裂。

「迴聲室」是一種特殊的實驗室，由於這個空間裡的聲音無法被牆壁吸收，所以會一直飄盪在該空間裡。

這就像是當持有相同信念或思考方式的一群人待在同一個空間時，會藉由互相唱和「沒錯，就是這樣」，來加深自己對單一信念的認同度。

根據研究顯示，**當一個人進入到「迴聲室效應」的狀態後，將很難再聽進別人的任何意見**。就算其他人願意把與其信念相左的文章或影片介紹給他們，也只會讓這群人抓緊原本自己就已深信不疑的想法而已。

究其原因在於，一個人要去否定自己原本所相信的事情並非易事。

因為這會讓自己產生一種被全盤否定的感覺，並且使截至目前所付出的心血都打了水漂——這些想法將會轉化為一種不安的心情，在腦海中揮之不去。

因此，**哪怕是心中有微弱的聲音說：「有可能是自己錯了也不一定……」但由於對自我認同崩壞的恐懼，許多人還是會緊抓著「錯誤的信念」不放**。

生活裡到處可見「沉沒成本」的詛咒

這種「不想承認其實是自己有錯」的現象，在經濟相關的用語中稱為**「沉沒成本」**（Sunk Cost）。

舉例來說，假設一個耗資千億的巨大水庫建設開始動工了。然而在工程進行中，人們逐漸發現該水庫對於工業用水的供應並起不到什麼實際作用，因此建設計畫面臨被迫中止的命運。

如果工程停止，已經投入的二百億元就等於白白浪費了。

3 審定註：在臺灣又稱「同溫層」，指立場相近的一群人透過網路發表類似言論，相互取暖。

於是有人表示：「停止建設也未免太可惜了吧，還是按照預定完成這個水庫比較好。」

但仔細想想，為了不浪費這已經投入的二百億元，就必須把剩餘的八百億元也投下去才行。可是在水庫能提供的效益有限的情況下，就連這八百億元的建設費用，日後恐怕也很難回收。

明明花出去的二百億元既已無法收回；在此之上繼續投入經費，只會擴大沒有意義的無謂支出。然而**人的心理就是容易執著於「沉沒成本」這件事上**。

「沉沒成本」對人類的束縛，可見於生活的方方面面。

明明是自己已經沒在穿的衣服、沒在用的包包，只因為覺得「當初花了好多錢買的呢，處理掉實在太浪費了」，就將其通通塞在衣櫃裡，徒占空間。

已經花出去的錢是不會再回到你手上的，所以面對不會再穿的衣服時，丟掉或在網上賣掉，是比較合適的處置方法。

當然筆者也知道，「知易行難」啊！

當某個人緊抓著有問題的信念不放，投入大量的時間來閱讀陰謀論相關的文章時，身邊的朋友往往也在和他漸行漸遠，人際關係因此出現裂痕。

如果此時要這個人拋棄陰謀論，那麼先前他為此所付出的時間似乎就白費了。於是他寧可失去友誼仍選擇堅持己見——但如此一來，他將失去更多東西。

前面這個例子，也是一種**「沉沒成本」的詛咒**。

「從朋友那聽來的資訊」也可能充滿偏見

讓自己深陷在前面提到的例子裡，是相當令人惋惜且不智的事情。

支持陰謀論的人，不論政治立場屬於左派或右派，都只會堅信「只有自己才真正了解，這個世界另外一面的真相」，而無法聽見來自「迴聲室」之外的聲音。

他們只會用「我看你是韓國人吧」[4]或「你是不是有收政府的錢啊」之類的言語，來攻擊其他人。

雖然筆者對於不同陰謀論的支持者們會相互攻擊這件事，完全是隔岸觀火，但我希望本書的讀者們，不要參與到這種毫無意義的躲避球賽中。

我們要做的是離開躲避球賽場，用冷靜、客觀的視角，以平心靜氣的態度來吸收多元資訊。

4 譯註：此指日本人說法，意近「間諜」、「賣國賊」。

但這裡要請大家注意，**上一段我提到的資訊處理方式，不太適用於「以人際關係為基礎的社群網站」**。

因為如果你在社群網站裡的朋友大多對執政黨持批判立場的話，你就容易接觸到批評政府的訊息；若是相反的狀況，「支持政府的訊息」就會自動送上門。

就算你的朋友中沒有熱衷於政治的人，也不能因此而掉以輕心。

雖然我對每個人都有自己認同的意識形態這件事沒有持否定態度，但大家應該要知道，如果交友圈中偏向某種價值觀的人過多的話，你就可能會接收到帶有偏見的「來自朋友的訊息」。

那該怎麼做才好呢？

把社群網站分為「人際關係」和「蒐集資訊」

區分「人際關係」和「蒐集資訊」——臉書、IG、LINE的使用方法

有人會想說，只要在社群網站上打造一個「優良的人際關係」，不就能避開那些「來自朋友那」帶有偏見的訊息了嗎？

這是個沒有現實意義的好答案。因為，幾乎沒有人能做到這種事。

難道在普通的人際關係中，一般人對這件事已無計可施了嗎？

這裡提供一個簡單的解決方法。

那就是**依「人際關係」和「蒐集資訊」的目的，將社群網站分開來使用**。

亦即區分出「人際用的社群網站」以及「蒐集資訊用的社群網站」。例如：**臉書、I**

G（Instagram）和ＬＩＮＥ，就是能用於維持「人際關係」，提高個人信賴度的社群網站。

★臉書：不適合用來做資訊蒐集

臉書的一個特色是可以和公司、客戶、家人以及親戚等直接做聯繫，但因為需要「實名登錄」，所以較不適合用來蒐集資訊。

而且當你看到客戶公司的課長在臉書上發表了「韓國真的很不像話，日本應該和這種國家斷交」這樣的言論時，也拿他沒辦法。

我們只能小心謹慎，別讓自己受到奇怪的言論影響，別相信陰謀論的內容。

這裡我想提供一種，可以用來應付這類令人反感的課長的方法。

雖然我們不能和臉書上的客戶「解除朋友關係」，但可以藉由**按下「取消追蹤」，讓彼此維持在「朋友」的情況，但不用再看到對方的貼文**。

★ＩＧ：可用來傳達個人「內心」情感的「人際關係型社群網站」

ＩＧ是一種**用來傳遞與分享「情感」面訊息的社群網站**，例如那些「超漂亮的，好感動」、「我真實的內心世界」以及「憧憬的事物」等。

ＩＧ上不太會看到臉書裡那些沒內容的文章，只是簡單傳達出使用者的「形象」而已。

因為ＩＧ用戶常常抱持著**「希望我的心情有人能懂」、「想要有誰能打動我心」**的想法，所以可將其看作是一種連接人與人的「人際關係社群網站」。

IG的如此特色，使其避免掉不少在臉書或推特上會出現的麻煩事。

★LINE：最近出現許多「謠言」，有點麻煩

LINE也屬於「人際關係社群網站」，我們可以直接將其視為一種**「和親近的人連絡的工具」**。

然而最近LINE上面出現了不少謠言，已經成為一個需要注意的現象。

近日我經常能從一些人那裡聽到，有人收到好一陣子沒有聯絡的老家親戚或住在遠地的老友，突然傳一些荒唐的陰謀論訊息給他們。

這些會傳訊息給你的人，和你之間只存在著人際關係上的連結而已，不代表他們所推送的資訊有任何「值得信賴」的保證。

而在這些會刻意用LINE來強迫他人接收自己發出的訊息的人之中，有不少人其實也**遭受這些錯誤資訊毒害**。

現在讓我們試著轉換立場，來理解一下他們的行為邏輯。

假設你今天讀到了「日本和中國因釣魚臺問題，關係陷入劍拔弩張的狀態」這則政治新聞，你會刻意傳送：「看來日中關係相當糟糕，大家要小心點啊！」這樣的訊息，給平日不會和你談論政治話題的親戚或老友嗎？

如果真有人會去做這種事情，那麼你一定要提防著他才行。

因為這種人是會把自己得到的資訊當成事實來相信的「狂信」者。而且他們認為自己有「必須把這個資訊散播出去」的使命，於是會開始把他所相信的事實發送給身邊的人。

面對這種人時，最佳的應對方法就是**「視而不見」**。

我們不用刻意花心思去反駁這種人的想法，或者與其割袍斷義。只要視而不見，當作什麼都沒發生就可以了。

其實，來自ＬＩＮＥ這種「人際關係社群網站」上的訊息，根本就不用去在意。這點還請讀者們要放在心上。

與「人際關係社群網站」相對的，是像推特這種**「蒐集資訊社群網站」**。有關如何活用推特的技巧，我們留待第三章再來分享。

報紙的陷阱1

各領域新聞在報紙「版面」上雖然公平，但「內容」可就不一定了

過去人們只要相信報紙和電視就好了

這一節要來解說「報紙上的陷阱」。

在上個世紀，網際網路尚未普及的年代裡，人們只要相信報紙和電視上所提供的資訊就好了。

相信看到前面這段內容，肯定有讀者有話要說了。

「佐佐木先生你在說什麼啊！報紙和電視上的資訊有很多是錯誤的耶！」

在批評我之前，請先稍安勿躁。

我並沒有說「過去的報紙和電視是能夠信賴的」。

而是**「過去人們只要相信報紙和電視上提供的資訊就好了」**。

在網際網路尚未成為「另一種大眾媒體」之前，報紙和電視幾乎獨占了所有的新聞資源。因此就算報紙和電視傳播了錯誤的訊息，一般民眾也沒有機會知道。

當然，過去坊間還是存在一些有風骨、會去批判主流媒體的雜誌，但這類雜誌通常在市面上不太流通，多數人難以接觸到。

因此大眾基本上只能接觸到報紙和電視所提供的資訊。

在這樣的情況下，**一般人對於從報紙和電視上接收到的資訊，基本上也只能選擇相信**。

當一個人懷疑大眾媒體所提供的資訊是否正確時，他能做的也只有像記者那樣，自己去挖掘真相了。

報紙上只有「版面」是公平的

網際網路興起後，報紙和電視新聞報導上出現的偏差以及知識缺乏，開始受到各方嚴厲的指責。舊的主流媒體見到這種情況後，開始高調反擊：「網路上的資訊很多都是錯誤的，而且充滿偏見。」

不可否認，在報紙多達三十幾頁的內容中，濃縮了政治、社會、經濟、文化、運動、娛樂等，來自各個不同領域的多元訊息，讀者透過閱報能學習到大量的知識。

儘管如此，我們絕不能忽視報紙中所隱藏的政治宣傳（Propaganda）言論。**報紙裡稱得上公平的地方，其實只有「版面」而已**。

翻開報紙，我們可以看到裡頭有政治版面、經濟版面、社會版面、文化版面以及運動版面，表面上看起來好像每個領域都有兼顧到，還滿公平的。

然而**當讀者們去細看不同版面的內容之後就會發現，當前的報紙絕對稱不上「公平」**。

隨著銷量大幅下降，報紙間的政治立場越發鮮明

這裡就拿「經濟」來做個例子。

二〇一〇年後，支持日本政府實施大幅度貨幣寬鬆經濟政策的「反緊縮派」經濟學者；與主張過度的刺激經濟方案，會讓國家負債越來越嚴重的「緊縮派」，在網路上展開了一場又一場激烈的論戰。

當時我們可以看到，《朝日新聞》的報導文章中較少介紹「反緊縮派」的主張，且該報財經相關的記者們，本身的立場也比較偏向支持「緊縮派」。

會出現這種情況，背後當然有很多原因，但一般認為這應該是因為**該報社的新聞消息**

來源出自霞關[5]財務省（「緊縮派」大本營）的官員，所以才會對其造成那麼大的影響。

除了經濟外，政治方面有問題的新聞報導也不少。

在一九九〇年代末的新舊世紀交替之時，不論是哪一家報社，政治上的立場基本都保持中立。

然而進入二十一世紀後，隨著網路的影響力日漸增強，加上報紙的發行量大幅萎縮，不同報紙的政治立場反倒旗幟鮮明起來。

《東京新聞》過去給人的形象是一份充滿都會感、容易閱讀，且立場中庸的報紙，但目前左派的立場顯而易見。

《產經新聞》雖然一直以來就是偏保守的報紙，但近年來偏右的情形越來越明顯，甚至還會在報紙內頁中，點名批判《東京新聞》和該報社的記者。

讀者要擁有「解讀報紙背後有些什麼」的能力

看完以上的內容，想必你已經對日本報紙整體的狀況有一定的了解了，如今我們也已經不能像過去那樣，不假思索地去接受特定報紙對某個問題或事件所進行的報導。

在閱讀一份報紙時，我們首先應該要抱著懷疑的心態。

「這則新聞報導背後，是否有什麼政治上的意圖？」

「這則新聞是不是只選擇了整件事情的片段來做報導？」

雖然這麼做有點麻煩，但大家應該要了解，所謂**「公正又中立的新聞媒體」，早就已經不存在了**。

當然，今天的「報紙」仍會對重要的新聞事件做出獨家的報導或分析。

但要是讀者不具有「解讀報紙背後有些什麼」的能力，將有可能出現被報紙內容誤導的情況。

5 譯註：「霞關」（霞ヶ関）位於東京都千代田區，許多日本中央行政機關的總部皆位於此。

報紙的陷阱2

報紙的「社會新聞」中，充斥著許多內容膚淺的報導

我在報社「社會部」工作時的真實感受

此外，筆者還想指出——在一般的報章雜誌裡，其實充斥著不少膚淺又沒營養的文章。如果讀者覺得我在說謊，不妨從各大報中，找出你自身熟悉領域的報導來看看，如此就會明白我的意思了。

筆者相信，已經實際這麼做過的人應該不少。而且他們一定會驚訝地發現：**「天啊！這些報紙裡頭的文章也未免太沒深度又錯誤百出了吧！」**

由於筆者曾在某日本全國性大報裡，負責社會新聞的部門擔任記者，因此深知新聞記者們的知識水準程度。

不可否認，報社裡的科學、經濟和運動等部門中，有許多專業知識豐富的記者。

然而**這種情形並不適用，工作範圍從刑、民事案件到溫馨社會新聞，負責業務包山包海的社會部**。

這是因為社會部的新聞記者最需要的，其實並非某個特定領域的專業知識，而是快速的反應力和能比他人更早找出獨家報導的「狩獵本能」。

過去，由於早報的截稿期限為當天的凌晨一點左右，所以前一天若有大事件發生，報社總要盡可能趕在截稿期限之前，讓這起大事件能刊登在今天報紙的頭版上。但現今，因為網路的角色變得愈發重要，所以就算截稿的時間早已經過了，報社還是得對事件做出應對才行。

每當遇到這種情形，**「強大的反射神經」**就成為記者們最被要求的特質。

舉例來說，某日晚間十點時，日本國土交通省[6]發出了一則客機墜落的消息。乘坐著數百名旅客和服務人員的客機失事了，當然是一件不得了的大事。接到這則訊息的報社立刻要做的就是撰寫新聞稿，然後將其刊登在報紙或網頁上。

6　譯註：日本的國土交通省相當於臺灣的交通部。

儘管一些報社裡會有熟悉航空相關知識的專業記者，但這樣的記者在事件發生的當下，未必會剛好在報社裡。該名記者可能正在離報社有一段距離的自家睡覺，無法即時處理這則新聞。

遇到這種情形時，事發當下在報社裡值班的記者們就必須代替熟悉航空相關的記者來撰寫新聞稿。

就算值班的記者對航空相關事務一無所知，還是得硬著頭皮完成該任務。

此時值班記者所能做的，便是以國土交通省提供的飛機失事相關的舊新聞稿為基礎，配合自己透過網路所蒐集到的那些資料，在最短的時間之內，完成一篇看起來有模有樣的新聞稿。

像這樣速成的新聞看在該領域專家的眼裡，很多時候只能用「不忍卒睹」來形容。

歷久不衰的精神論，「跑現場比坐在桌子前更重要」

儘管由擁有專業領域知識的記者來撰寫相關新聞報導比較好，但在報社的系統中，事情卻不一定是這樣運作。

這裡就拿東日本大震災時，有關福島第一核電廠的事故報導為例。

在遇到像核電廠出事了這種大事件時，報社會動員社會、政治和科學三個部門的記者，一起來做新聞報導。

「政治部」的記者緊盯官房長官在記者會所發布的內容，以此來撰寫新聞稿；與科學方面相關的詳細解說文章，則由「科學部」的記者擔綱。

而「社會部」的記者大部分負責對受災地區人民做出的反應，以及地震造成了多大的衝擊等，與整體社會有關聯的報導。

然而，社會部裡的記者們，幾乎不具備物理學和放射線相關的專業知識。

不僅如此，報社的社會部直到今天依然很盛行**「跑現場比坐在書桌前學習更重要」的精神論**。這種精神論認為，一名記者要是有時間在書桌前看書，還不如出去跑新聞，透過從當地獲得的資訊來做學習才是王道。

但一名記者要是在出去跑新聞之前沒有經過一段「不帶偏見」的學習歷程，到了現場反而容易受到一些群眾煽動家（Demagogue）的蠱惑，進而接受偽科學的說法。

上述情況在新聞業界裡其實並不罕見，不只可見於全國性的大報，連地方性的小報也無法倖免。

近日，報紙上刊登的「偽科學新聞」，之所以會屢屢在社群網站上因受到專家抨擊而蔚為熱門話題，原因即在於此。

報紙適合用來當作「認識不熟悉領域的入口」——報紙和網站上的資訊，只挑「好的」來讀

報紙也有「可取」之處

雖然我在前面點出許多報紙的問題，但它還是有**「可取之處」**的。

報紙的特色在於，其內容幾乎涵蓋了整個社會所發生的各個面向的事情。

讀者可以活用報紙這個媒體，來幫助自己獲得有關陌生領域的知識。

我們對於已經很熟悉的東西，不太會透過報紙來獲得新知，而會藉由定期關注專門的網站或部落格內容來更新資訊。

然而這麼做，很可能會錯失不少讓自己去認識新領域知識的機會。

在網路剛開始普及的時候，有人曾經提出**「網路容易讓人陷入『章魚壺化』狀態」**這樣的觀點。

當人們翻閱報紙時，有可能瞄到自己不感興趣的新聞報導。但在網路上，每個人很可能都只專注於自己感興趣的事物，像一隻鑽進了壺裡的章魚。「章魚壺化」一詞原是用來揶揄，眼中只有自己感興趣事物的網路使用者。

我認為**「章魚壺化」的論述，說對了一半，但也錯了一半**。

網路確實可能讓使用者看不到那些自己不感興趣的內容。

但難道叫大家都只去看報紙會比較好嗎？

許多刊登在報紙上的報導，內容不但淺薄，還讓專家們看了直搖頭。閱讀報紙可能只會讓人吸收到片面的資訊，**有時甚至還是錯誤的知識**。

把報紙當作認識這個世界的「入口」

這裡筆者提供一個能讓大家避開「章魚壺化」的方法，那就是**既要閱讀報紙膚淺的內容，也要追蹤網路上的深度記事，然後吸收雙方的「精華」**。

報紙很適合用來當作我們認識這個世界的「入口」。

我們只需略覽一下報紙文章的標題，就能大致掌握住自己不感興趣，且容易忽視掉的資訊。

話雖如此，我認為讀者們完全沒有必要只為了上述這個用途，而特地在車站等地方購買報紙或訂閱報紙來讀，大家其實只需要到各大報的官方網站上面，瀏覽一下新聞的標題就夠了。

在瀏覽過報紙文章的標題後，我們基本就能大致掌握，目前社會上發生了哪些事情。要是對某些特定的事情感興趣，就再去找「其他的文章」來讀。

在此要提醒大家一下，我在本書中所介紹的報紙使用法，**僅限於「一般報紙」**。「專業報紙」則不在此限。

我自己本身不會花錢去買一般的報紙來讀，但卻有花錢訂閱線上版的《日本經濟新聞》（日本経済新聞）和**《華爾街日報》**（*The Wall Street Journal*）。

如果讀者中有人想多認識「經濟」這個幅員遼闊，又需要豐富知識的領域，**那麼絕不能錯過上面這兩份刊物**。

有關「高品質付費媒體」的使用方法，我會在下一章詳細說明。

第2章

網路上該看「什麼」好呢？

——同時獲得優質「推式資訊」和「拉式資訊」的方法

「推式資訊」和「拉式資訊」

本書到目前為止，作為正式進入主題前的「準備階段」，我已經把媒體的分類方式介紹給大家了。不知道你是否已經掌握住媒體整體的狀況了呢？

從這一章開始，將正式進入本書的主題。

首先，我想和大家分享，我們**在網路上該「看些什麼」**這件事。

「Push」和**「Pull」**是兩個媒體界的用語。

雖然這兩個英語字直接中譯是「Push＝推」、「Pull＝拉」，但在媒體用語中，「推」的意思指的是**「一個人就算什麼都沒有做，也會被動地接受到由對方所提供的資訊」**。

舉例來說，當我們開著電視和收音機時所接收到的影像或聲音，或者所訂閱的報紙上刊載的文章，都是「推式資訊」。再以網路來說，當我們漫不經心地瀏覽臉書或推特時，透過限時動態送上門的文章連結，也屬於「推式資訊」的一種。

反過來說，「拉式資訊」指的就是**「一個人主動去蒐集的資訊」**，**「是自己不刻意去尋找，就看不到的資訊」**。

過去我們得到書店才能買到的雜誌或書籍，就屬於「拉式資訊」。

另外，當網路使用者進入特定網站去閱讀只有那裡才有，而且是自己感興趣的文章這件事，也可以稱為「拉式資訊」。

過度依賴「推式資訊」會引發的兩個棘手問題

過去，電視和報紙已經能提供相當足夠的「推式資訊」了，**進入到網路時代後，「推式資訊」的數量更是宛如洪水猛獸般，多到令人難以招架**。

今天人們只要瀏覽社群網站一下，就會被動地接收到一大堆文章和影片，光是要處理這些資訊就不容易了，遑論還要去蒐集更多資訊。

然而**正是在這個資訊量多如洪水的時代，我才更要向讀者介紹「拉式資訊的價值」**。

這是因為，**人們若過度依賴「推式資訊」，會引發兩件麻煩事**——

① 自己被過多的「推式資訊」給淹沒。

② 優質的資訊混在洪水之中，只能與其失之交臂。

若想避開這兩種麻煩事，我建議要主動出擊，去獲得「拉式資訊」。

獲得「優質拉式資訊」的方法

社群網站上的資訊和其他地方的資訊其實並無二致。

如果一個人只是漫不經心地盯著社群網站上的限時動態，被動地接收「推式資訊」的話，那麼和看一整天電視，腦袋空空的狀態也沒有兩樣。

過去在電視剛開始普及的時候，日本知名的已故社會評論家大宅壯一，曾說過下面這句話：「電視上有一堆內容比『紙芝居』[1]還要蠢的節目，如果日本國民每天都看這些節目，不就要成為『一億總白痴』[2]了嗎？」

著名的「一億總白痴」，就出自這句話。

然而網路並不會讓人們變成「一億總白痴」，因為**網路和電視不一樣，上面的資訊是可以選擇的**。

網路上既有「推式資訊」，也有可供使用者自行選擇的「優質拉式資訊」。

因此**依據獲得資訊方法的不同，有人會變成「白痴」，但也有人不會**。可以說，**「每個人都不一樣」，正是網路時代的文化現象**。

接下來我將會詳細說明，該怎麼做才能得到「優質的拉式資訊」，包括——

①從高品質網路媒體和部落格中，找出好文章的方法。
②活用高品質付費媒體的方法。
③在社群網站上發現「優質拉式資訊」的方法。

有關「③在社群網站上發現『優質拉式資訊』的方法」，我會於下一章再詳細說明。本章將先針對「①從高品質網路媒體和部落格中，找出好文章的方法」和「②活用高品質付費媒體的方法」來做解說。

1 編註：一種小型戲劇，以在小型木箱中抽換插圖紙，一邊講述故事的方式表演。盛行於日本明治年間。

2 編註：「一億總白痴化」為大宅壯一提出的社會學名詞，他認為媒體透過節目與廣告對觀眾進行洗腦，灌輸偏差觀念與政治思想，容易使人「白痴化」。

網頁上文章要「讀什麼」又該「怎麼讀」？
——使用「RSS Reader」，集中檢視新文章的標題

直至今日我仍推薦「RSS Reader」的理由

這一節筆者想和大家推薦一個和時下作法不太一樣，但可以用來「發現」網路上好文章的方法。

那就是使用**「RSS」**這項服務。

「RSS」為英語「Rich Site Summary」的簡稱，這是一種**可以整理網站上文章的標題和文摘內容的資料格式**。

許多網站都會使用「RSS」把資料傳送出去，只要使用**「RSS Reader」**（RSS聚合器）這類專用的APP，使用者就能收到不同網站發送的「RSS」。

說得更簡單一點就是，**只要使用「RSS Reader」，我們就能整合性地讀到來自不同新**

聞網站和部落格的新文章的標題了。

儘管「ＲＳＳ」是我喜歡且用起來也相當方便的工具，然而可惜的是，網路世界上已出現**「ＲＳＳ是明日黃花」**的論調，ＲＳＳ被視為一種過時的技術。

事實上，谷歌（Google）和多玩國（ドワンゴ）[3]提供的人氣「RSS Reader」，早在二〇一〇年代中期，就已停止提供服務了。

造成停止服務背後的因素當然很多，但最主要的原因，應該還是和**網路上的資訊呈現爆發式成長**脫不了關係。

「RSS Reader」ＡＰＰ最大的便利之處在於，能幫助使用者蒐集到指定網站裡所有新文章的標題。但隨著網路上的網站數量大增，光是要把網站登錄到「RSS Reader」上就已成了一件麻煩事，更別說文章的標題數量簡直多到看不完。

我在二〇一〇年代中期時，於RSS Reader上登錄的網站數量就已達到數千個之多，每天會收到的文章標題也攀升到了二～三千條，每天都在資訊的海洋中載浮載沉。

當時光是要處理這些資訊，我每天就得花上好幾個小時，讓其他的工作都被拖累了。

3 譯註：株式會社多玩國，日本的資訊科技企業，NICONICO動畫之母公司。

我身為一名專門處理資訊的新聞媒體從業人員，要處理上述這些海量的訊息都已經不容易了，更遑論沒有這麼多時間的一般人呢？

在那之後我把登錄的網站數量做了一次瘦身，目前約維持在四百個左右。

儘管如此，**每天我還是會接收到將近一千條的文章標題**。

為了消化掉這些資訊，筆者會利用每天等電車、搭計程車的時間，或是等待會議開始之前的空檔，甚至在搭乘電梯和手扶梯的時候，**活用所有能擠出來的零碎時間，來檢視文章的標題**。

我仍然持續使用「RSS Reader」的理由

可能有人會說，既然這麼辛苦，佐佐木先生為何還要繼續使用「已經過時」的「RSS Reader」呢？這是因為**「RSS Reader」在蒐集資訊上，可以維持住表面上的公平和不帶偏見**。

當然，選擇什麼樣的新聞網站或部落格登錄在「RSS Reader」上，一定會帶有「偏見」，這是不證自明的事情。

這裡提到的「不證自明」指的是，「我選擇登錄這個新聞網站，是因為自己了解該新聞網站的立場為何」。

雖然網站提供的資訊有其「立場」，但只要我們能意識到「偏見」的存在，那麼問題其實就不大了。

比較嚴重的情況是，**不知道網站內容有其特定的立場，等到回過神才發現，自己已經習慣戴著有色的眼鏡在看事情了。**

我在前面「社群網站陷阱」中提到，會透過推特或臉書上的朋友和跟隨者，傳送到我們面前的資訊，就屬於這種類型。

很多人其實並不會感知到，自己因受到來自身邊朋友或媒體上著名公眾人物的影響，而接收到帶有偏見的資訊。結果讓自己在不知不覺中，變成了一個立場偏頗的人。

不過只要使用「RSS Reader」來蒐集資訊，就能有效避開來自交友圈和其他方面的影響了。

使用者只需**以「這個新聞網站提供的資訊，對我有幫助嗎？」為基準，來決定是否登錄該網站**就行了。

因此只要我們小心謹慎，不要去登錄到那些明顯帶有特定立場的新聞網站，那麼也就不會讓自己一直接觸到充滿偏見的文章，受其影響了。

「RSS Reader」的使用方法

要接收、閱讀RSS，需要使用「RSS Reader」這種APP。

這類APP，目前市面上可供的選擇還不少。

其中又以「Feedly」和「Inoreader」為**最具有代表性的兩個**。

如果將這兩個APP拿來做比較，可以發現，**在速度和設計上「Feedly」略勝一籌**。

但若你想使用「Feedly」的所有功能，我建議還是要購買付費的方案會比較好。另外，「Feedly」的介面為全英語。

與「Feedly」相比，**「Inoreader」在設計上雖然稍微遜色，但卻是一款完全免費的APP，而且操作介面還有日語和中文**。

要使用哪一種APP全憑使用者的喜好。不論選哪一種APP，已經設定好的新聞網站和部落格，因為都是用「OPML」（大綱處理標記式語言）格式來輸出資料，所以使用者可以在這兩種APP之間穿梭自如。

正因如此，建議不妨先同時使用這兩種APP一陣子，之後再依個人的使用習慣來做取捨。

以二刀流來使用「Feedly」

接下來筆者要以「Feedly」為例，向讀者們做使用說明。

「Feedly」不但擁有網頁版，還能在電腦和智慧型手機上用APP來操作，使用管道十分多元。

要如何使用「Feedly」，相信每個人都有各自的習慣，而我推薦的方式為**「二刀流」**，也就是**同時在電腦和智慧型手機上使用「Feedly」**。

為什麼我推薦「二刀流」這種使用方法呢？

那是因為使用「Feedly」得先完成不少細項的設定，例如：一筆一筆登錄想要閱讀的新聞網站或部落格，然後還要把它們分到不同的「類別」（Category）中。

要處理這些細項設定時，用電腦來操作絕對比手機方便許多。

雖然不是說在手機上就無法完成電腦版能做的事情，但在手機版的「Feedly」中，確實存在一些使用上的限制，

「Feedly」的畫面

從登錄的網站傳來新發表的文章

複製貼上網頁的 URL 之後，按下 Enter 鍵，搜尋處就會顯現出該網站的名稱和簡介。

接著用滑鼠點一下**「FOLLOW」**。

完成「FOLLOW」後，接著要選擇一個「類別」來放置該網頁。

點選畫面上的「+NEW FEED」，就可以製作一個類別了。

如上所述，「Feedly」的使用方法，就是把網頁分到不同的類別後做登錄。創建好的分類會顯示在畫面的左側，若要追加分類，只須用滑鼠點一下「Create New Feed」就可以了。

使用者除了可以從「Feedly」來登錄網頁外，還有另一種作法。

若你在閱讀某個網頁的文章時，突然覺得「喔，這個網頁很讚喔」，此時不用啟動「Feedly」也能做登錄。

方法是透過瀏覽器的附加元件（Add-Ons）。例如：谷歌的「Chrome」上，就有「Feedly」提供的「Follow Feed」。使用者可以在「Chrome 線上應用程式商店」裡找到。

安裝好「Follow Feed」後，Chrome 的工具列上就會出現一個小圖示，之後不管在看任何網頁，只要點擊一下這個圖示，就能立刻把該網頁登錄到「Feedly」上。

※2　並非只要點擊一下小圖示就完成登錄了，還需在顯示出來的畫面上完成相關的手續才行。（登入「Feedly」→顯示左頁的登錄畫面→複製貼上 URL →進行搜尋→ Follow）

圖表 1：「Feedly」具體的設定方法

首先在電腦上開啟「Feedly」。不論使用的是網頁或 APP 版的都一樣。

接著要登錄使用者帳號。

大家可以用谷歌或臉書的帳號登錄，也可以用個人電子信箱和密碼來做登錄。

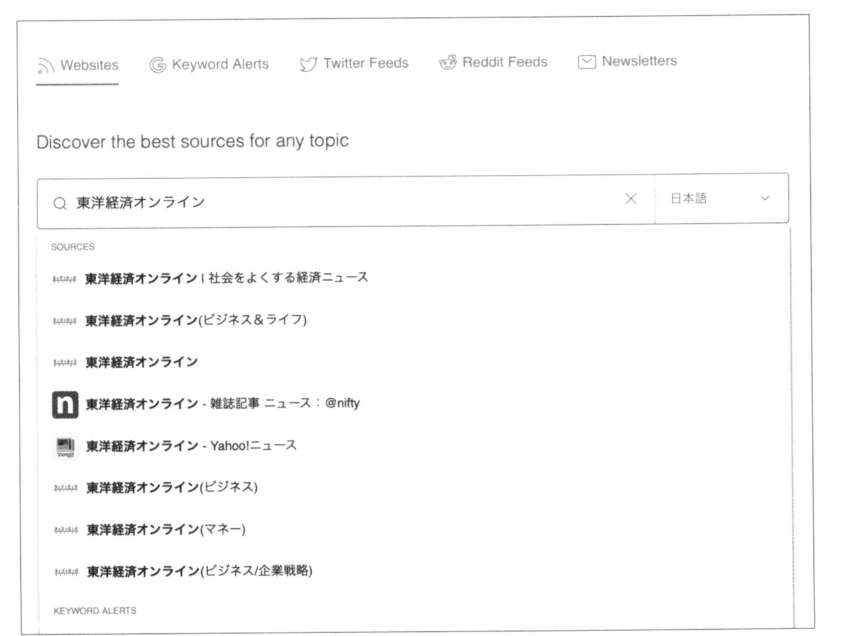

※1 在使用者尚未設定任何「類別」時，畫面左側會顯示「CREATE A FEED」這個按鈕。在設定了一個以上的類別之後，在類別之下會顯示「Create New Feed」這個按鈕。

完成帳號登錄後，我們就可以把想要閱讀的新聞網站或部落格加到「Feedly」裡了。

只要按一下畫面左邊的「+」，就能開啟上面這個視窗，接著把網站的 URL 複製貼上就可以了。

雖然使用者也可以用關鍵字搜尋來做登錄，但我並不推薦這個做法。因為這樣會變成橫向搜尋網站裡的內容。

讓用戶很難對類別進行編輯。

因此有關「Feedly」的各項設定，我建議在電腦上使用網頁或APP版本來完成。

另外筆者認為，不要拿坐在電腦前的時間，去檢視從「Feedly」發送過來的文章標題，而是要利用像在月臺等火車或開會前的空檔時間來做這件事。**善用零碎時間以手機來看文章標題，是較有效率的做事方法。**

而在閱讀體驗上，手機縱長型的畫面較電腦螢幕為佳。

讀者們可以**在電腦上先完成「Feedly」的登錄以及各項設定，然後用手機來檢視文章，這就是筆者所推薦的「二刀流」使用法**。

正如我在前面章節已經提過的，**藉由自己選擇「要看什麼網站上的內容」，可以幫助我們獲得「不帶偏見的視點」**。

在智慧型手機上使用「Feedly」的畫面

把文章分為三個類別

類別該如何區分？

這一節筆者要和大家分享另一個在使用「RSS Reader」時的重點。

那就是**要把自己所登錄的網頁做分類**。

像「Feedly」這類「RSS Reader」，都具有類別分類的功能。

之所以要對網頁做分類，主要的理由有兩個。

❶ 讓自己的腦袋思路清晰

首先，**檢視文章標題時，應該記得隨時提醒自己「我目前是在檢視〇〇類別的文章」**。

這麼做的話，就能讓自己的腦袋保持思路清晰。

你可有想過，如果不做分類的話，會發生什麼事呢？

若沒有區分類別，當我們在檢視文章標題時，就會把「政治」、「經濟」、「社會」、「生活」和「電影」等，不同類型的資訊混在一起。

正如人腦本就存在著「左、右腦」之別一樣，普通人其實都做不到同時處理「嚴肅的話題」和「輕鬆的話題」；或同時談論「理性的話題」和「感性的話題」。

「我目前正在檢視政治和經濟一類，內容較為嚴肅的新聞文章標題。」

「我正在閱讀生活相關類型的文章。」

在檢視標題或閱讀文章時，若能保持像上面這樣的自覺，便能幫助自己更容易地掌握住內容。

❷ 在時間不多時能盡快完成檢視

其次，**若能事前就做好分類，就算在時間不多的時候，也能很快地檢視完文章的標題**。

你可以進一步依照文章輕重緩急的程度，把類別分為三個等級（關於這部分，筆者會在第一三一頁再做說明）。

等級一：需要確認所有標題的類別。

等級二：忙的時候可以先跳過的類別。
等級三：有空時再來閱讀就可以的類別（例如：重要性不高的娛樂相關新聞）。

類別區分時要注意的三個 Know-How

接下來，筆者將進一步說明如何做類別區分。

首先讓我們先來了解一下，該怎麼做區分比較好。

儘管要怎麼做類別區分的確因人而異，但我可舉自己的分類方式來做說明（請見下頁圖表）。

我認為在做類別區分時，須注意三個重要的 Know-How——

① 在選擇登錄的網頁時，不妨多加活用「策展網站」。
② 配合類別，改變文章在「Feedly」上的呈現方式。
③ 把類別分為「必讀」和「忙的時候不看也可」兩種。

類別區分的 Know-How ①

選擇登錄的網頁時，活用「策展網站」

雖然只要是自己想關注的部落格或新聞網站，當然可以將其全部收進已區分好的類別之中，但這裡有一個應該要注意的地方。

那就是——別忘了多加去**活用「策展網站」**。

筆者在二〇一一年年所出版的書籍《CURATION 策展的時代》，首次把「策展」（Curation）一詞引進了日本社會。

當時我在該書中曾寫到，在網際網路盛行的時代裡，資訊會呈現爆炸性的成長，能否從「魚龍混雜」的資訊中挑出

圖表 2：筆者的「類別區分」

新聞	工具＋做事訣竅
策展	個人部落格
英語	媒體
生活	流行話題
政治、經濟、社會	音樂
商業	電影
科技	書籍

好內容，將成為一項重要的能力。

然而在這個專業領域內容越來越細分的時代，希望所有人都擁有上述能力，不啻是緣木求魚。

當時我曾經在書中預測，未來在不同領域裡都將會出現一群人，他們會從各個領域中分別挑選出一些資訊，並且將其放到社群網站上與其他人分享，藉由這種方式來傳播各類資訊。

因為這種把資訊加以區分然後共享出去的行為，很像是美術館裡思考著要辦什麼展覽的策展人（Curator）所負責做的事，所以**把資訊分類然後分享出去的行為，才會被稱為「策展」**。

到了如今的二〇二〇年代，當初我在書中所做的預測已經完全實現了。

筆者預期，今後除了人類以外，能進行深度學習的ＡＩ（人工智慧），也會開始執行蒐集資訊然後將其分類這件事。

目前我們能看到，市面上已經出現不少提供這類策展服務的網站了。**讀者們只要能活用這類策展網站，就可以把資訊一把收進「Feedly」裡。**

就拿筆者類別裡的「新聞」來說，要選擇登錄哪些網站在裡面實非易事。

一般日本人立刻會想到的，應該是像「**朝日新聞 Digital**」、「**讀賣新聞 Online**」、「**共同通信社**」或「**NHK 在線**」等新聞報導類的網站吧？然而讀者們若真把這些網站都收進類別裡，就會發現，這類新聞網站提供的資訊量還真不是普通得多。

就算你想逐一檢視接收到的訊息，恐怕也只能大嘆無能為力。

那麼，有沒有其他更好的做法呢？

活用「2ch News Navigator」

這裡讓筆者來提供一個解決該問題的妙招吧。

以日本網站來說，就是活用「2ch News Navigator」（2NN 2ちゃんねるニュース速報＋ナビ，http://www.2nn.jp/）這個策展網站[4]。

該策展網站會對匿名討論版「5channel」（5ちゃんねる）——過去的名稱為「2channel」（2ちゃんねる）——的「新聞速報」內容自動進行分析，然後即時為使用者挑選出人氣最高以及最即時的新聞報導。

可以說「**2ch News Navigator**」（以下簡稱「**2NN**」）這個網站，為我們蒐集了由「**5channel**」使用者所挑選出來的新聞標題。

因為一般人幾乎不可能做到檢視所有出現在新聞報導網站上的標題，所以不妨善用「5channel」」使用者的「眼光」，由他們來為我們挑選新聞吧！

雖然只要點擊出現在「2NN」新聞標題中的「繼續閱讀」（続き読む），就能移動到「5channel」」原來的頁面。但因為我們使用「5channel」」的目的，不是用來看匿名使用者那些亂七八糟的評論，因此可以忽略這個功能。

在「繼續閱讀」下面，使用者可以看到「Yahoo News」和「每日新聞」等，新聞的原始出處。

我們可以點擊原始出處，直接到原始網頁去閱讀全文。

另外網上還有一個名叫「Hatena Bookmark」（はてなブックマーク）的網站，**該網站會針對重要的新聞記事做「書籤管理」（Bookmarks），然後進行資訊分享**。用戶登錄之後，就能閱讀到該網站使用者所挑選出來的文章。

4 審定註：臺灣網站「方格子」（https://vocus.cc/）為近似的專題、策展類平臺，但不是即時新聞或書籤式的聚合平臺。

專欄

英語文章的閱讀方法

首先請大家先建立一個「英語」的類別。

「Techmeme」（https://www.techmeme.com/）是一個為讀者挑選重要科技相關英語文章的策展網站。

英語的文章就算僅限於與科技相關的領域，數量也絕對多到令人目不暇給。然而我們只需要把「Techmeme」收到「Feedly」裡，就能接收到由「Techmeme」幫我們挑選過的，與重要科技議題有關的文章。

「Techmeme」另外還有一個名為「Mediagazer」（https://www.mediagazer.com/）的姊妹網站，後者專門蒐集與媒體有關的文章。

除了上述兩個網站之外，「digg」（https://digg.com/）這個英語策展網站，則提供較為一般性的內容。

類別區分的 Know-How ② 配合類別改變閱讀模式

第二個重要的 Know-How 是，**能夠根據不同類別的文章，來改變「Feedly」上的閱讀模式**。

舉例來說，在我的分類之中，「書籍」和「電影」一天頂多就只會收到五～六篇的文章，然而在「新聞」這個類別裡，透過２ＮＮ所傳過來的文章，一天之內很容易就超過一百篇。

「Feedly」裡面其實有**「變更閱讀模式」**的功能。

該功能在打開類別選單後就會看到，電腦版則位於螢幕的右上角，從左邊數來第四個圖示。使用者點擊了該圖示之後，會出現**「Title Only View」、「Magazine View」、「Cards View」、「Article View」**四個選項。

其中「Title Only View」是只能看見文章標題，最簡單的一種閱讀模式。

其他三種閱讀模式除了文字外，還會在文章內顯示所附的圖片。如此一來，許多文章便能在人們的閱讀過程中，依序顯示出圖片。

テクノロジ

Today

ソニー、社員に独自のAI研修 講師も社員 事務職含む4万人対象 ITmedia Top Story 最新記事一覧 / 1h

オートバックスがEV市場に参入 車両の販売、メンテナンスサービスを提供へ ITmedia Top Story 最新記事一覧 / 42min

NECと日本オラクル、基幹システムのクラウド移行支援に向け協業強化 設計時間を半減、移行時間を3割減 ITmedia Top Story 最新記事一覧 / 42min

「ラブライブ！」などソシャゲ開発のKLabで不正ログイン 3カ月前にも被害に ITmedia Top Story 最新記事一覧 / 42min

日本のベンチャー企業による浮遊するバイク型の乗り物の走行が報道陣に公開 スラッシュドット ジャパン / 27min

日本人のスマホアプリ課金額は引き続き世界一、ただし伸び率は鈍化 「コロナ禍以前の基準に戻りつつある」――米SensorTower調べ ITmedia Top Story 最新記事一覧 / 11min

アキバのカフェでパトレイバーに登場する中華料理屋メニューを期間限定で提供 スラッシュドット ジャパン / 3min

グッドイヤーとポルシェ投資部門が自動車が道路を「感じる」ようにするバーチャルセンシングTactile Mobilityに戦略的投資 TechCrunch Japanese / 2min

「Title-Only View」閱讀模式

如果用「Article View」或「Cards View」模式來閱讀「新聞」類別中篇幅較長的文章，畫面的呈現方式會變得很複雜，且滑鼠在滾動操作時也不方便。

因此當閱讀「新聞」類別的文章時，我建議你選擇「Title Only View」。

另一方面，在檢視個人部落格或政治、經濟、社會等類別的文章時，**因為需要精挑細選一番，所以筆者建議使用「Magazine View」或「Cards View」這兩種閱讀模式**。

「Feedly」不論是在電腦版或是手機版的APP，都可以做閱讀模式的變更。

但由於電腦和手機上的APP並沒有連動，因此需要個別做設定。

你若使用手機上的「Feedly」，應該會在點選類別之後，看到螢幕右上角出現由三個點所構成的圖示，點擊這個圖示之後會進入「Customize Feeds」，接著就能選擇想變更的閱讀模式了。

「Cards View」閱讀模式

「Magazine View」閱讀模式

圖表 3：用「必讀程度」分出三個不同等級的類別

等級一　需要確認所有標題的類別

★ 策展　★ 政治、經濟、社會　★ 商業
★ 科技　★ 個人部落格　★ 媒體

等級二　忙的時候可以先跳過的類別

★ 新聞　★ 英語　★ 生活　★ 電影　★ 書籍

等級三　有空時再來閱讀就可以的類別

★工具＋做事訣竅　★流行話題　★音樂

類別區分的 Know-How ③

分為「必讀」和「忙碌可不看」兩種

第三個 Know-How 是，**把類別分為「必讀」和「忙碌可不看」兩種。**

筆者在第一二二頁曾提到，我會用「必讀程度」進一步把類別分成**三個等級**，如上圖表所示。

等級一的類別需要經常檢視；等時間較充分的時候，再來決定是要讀到等級二的文章，還是連等級三裡的文章也一併讀完。

有時我會依據當天的繁忙程度，即時對資訊蒐集的等級做出調整。

為了避免自己在「資訊的海洋」裡溺水，能做出臨機應變的能力也很重要。

「付費媒體」要這樣用

付費媒體的使用方法

前面筆者已經以自己愛用的「Feedly」為例，向讀者說明了如何活用「RSS Reader」來獲得優質的資訊了。

這一節要談論的是**「挑出好文章（優質的拉式資訊）」的兩個獨門絕招**，內容為**包含紙質媒體在內的「付費媒體使用方法」**。

使用者對於付費媒體的要求會比免費的高出許多，原因也很好理解，因為這是自己掏錢買的。

儘管網路媒體得靠廣告來獲得收入，但隨著廣告鋪天蓋地，幾乎占滿了我們的手機和電腦螢幕後，會去點選廣告的人反而變少了。

目前想要經營網路媒體所需的門檻很低，這讓許多人決定投身該領域，然而這也造成**「雖然出現很多新媒體，但大家都賺不到錢」**的狀況。

當前新媒體這個業界正處於快速擴張但市場競爭激烈，彼此殺紅了眼的紅海（Red Ocean）之中。

如今有不少報社或出版社，都在自家網路媒體上推出付費的訂閱內容。**公司們無不希望以付費訂閱的方式綁住讀者，讓經營能維持在正常的軌道上**。

「付費媒體＝高品質文章」只是種幻想，還是得「嚴選」

如果收費確實能夠提升媒體的文字內容質量，對很多人而言還說得過去。**然而事實上，收費並無法立刻提升一個媒體的「質量」**。

原因在於就算公司收了錢，自家記者的能力也不可能馬上提升；而且支付給非公司編制內的作者的稿費，也不會有顯著增加（對於像筆者這樣的文字工作者，提高稿費真是求之不得的美事）。

「收費」這件事，確實對媒體公司穩定經營有一定的助益，管理階層和編輯們也能稍微鬆一口氣。但它無法實現想在短期內提升文章質量的目的。

有鑑於此，作為讀者的我們**也不應該存有「付費＝高品質」這樣的認知**，**還是得好好地挑選，拿自己錢去訂閱的媒體。**

仔細想想，如果每份報紙都需付錢買，而且報導還不能用單篇付費的方式購得的話，一個人若想讀完所有新聞報導，每個月就得花上數萬元才行。如此一來，除非找到一份讀報的工作，或者自家公司願意花錢訂購多家報紙，否則一般人根本不太可能付得起如此高昂的費用。

說實話，**每天報紙中出現「我願意花錢買來讀」的文章，也僅占總文章中的極少數而已**。而且報紙中超過半數的文章，其實無不是來自政府行政機關、警察部門或企業等對外所做的聲明及新聞稿，經過改寫之後呈現的文字罷了。

每個月花幾千元購買這樣的媒體，很難稱得上是聰明的消費。

那麼，什麼樣的媒體才值得閱聽人掏錢購買呢？

選購付費媒體的三個重點

挑選付費媒體時，筆者最看重的是以下三個重點。

挑選付費媒體的重點 1 該媒體是否擁有「專家的知識」？

我曾經好幾次表示過，**網路時代最棒的事情之一，莫過於人們可以在社群網站上，讀到許多專家們所發表的文章**。

在過去沒有網路的時代，這種事情可是連作夢也想不到。

舉例來說，今天某地遭受了颱風或集中豪雨的侵襲。

此時電視臺或報社會做的事情就是派記者到現場，記錄下當地受災居民的心聲，但卻幾乎不會對「為什麼會發生這樣的災害」或「近年來發生水災的實際狀況為何」等，做出追本溯源的報導。

儘管有些電視臺會找一些自稱「專家」的來賓，到節目上進行解說，但那些被導播找來上節目的專家們，可不一定都是「真正的專家」。很多時候出現在螢幕前的人根本只是該領域的門外漢，或是知識已經很久沒有更新的某大學名譽教授——觀眾們還得謹慎識別才行。

「真正的專家」通常要不是很忙碌；就是不太喜歡電視臺那種，會把自己所說的話斷章取義之後播出的方式。因此這群人中的大多數，其實對上節目發表評論，都抱持著消極的態度。

和電視臺相比，**社群網路或部落格上某個領域「真正的專家」，就願意寫文章分享自己的觀點**。

然而我們一般人其實和電視臺的導播一樣，都不是特定領域的行家，因此不太容易確認在部落格發表文章的人，是否就真的是「真正的專家」。

有關專家的鑑定方式，我會在下一章說明，但這裡要提醒大家，**我們確實可以去關注一下社群網站上的「專家群們」**。

話雖如此，去做這件事情也需要花不少時間，且若不是像新冠肺炎這種持續好長一段時間的事情，要對單一主題進行資訊蒐集也實屬不易。

如果是這樣的話，我們可以先把焦點放到**「媒體的專業性」**上。

媒體的專業性

這裡筆者就拿「外交、國防安全」為例，來做個說明。

由於我並非上述領域的專家，所以對於分辨誰才是該領域的專家，並沒有比較厲害。但若有人問我：「能請佐佐木先生舉出幾位，在外交、國防安全領域，值得日本人信賴的專家嗎？」我還是有自信能列出一張名單的。

然而因為這些在名單上的人不一定時常會發表文章分享自己的觀點，所以如果只想靠他們來獲取有關外交方面的新聞知識，恐怕會稍嫌不足。

而且因為社會上「自稱」是「外交、國防安全」領域專家的研究者或新聞從業人員還不少，導致一般人很難判斷，這些自稱專家的人所寫的文章裡，有哪些是可以相信的地方。碰到這種情況，我們要做的就是找出**在「外交、國防安全」領域中，值得信賴的媒體**。

在這個領域中，我最後找到了由美國外交關係協會（Council on Foreign Relations），於一九二二年時所創刊的《外交事務》（*Foreign Affairs*）這本老牌雜誌。

原文版的《外交事務》雜誌為雙月刊，一本要價約六百元，訂一年需要四千元左右。雖然價格並不便宜，**但這本雜誌裡的文章為讀者們詳細分析了發生在全球各地的事情，在**

該領域的專家之間也獲得極高的評價。

儘管這本雜誌是以美國的觀點來看事情，但內容仍具有相當的參考性。

挑選付費媒體的重點❷

該媒體是否「具有國內媒體所沒有的視角」？

筆者過去的工作，主要負責「科技」和「媒體」這兩個專業領域。因此對這兩個領域的資訊，做了既廣且深的蒐集。

然而在蒐集資訊的過程中，如果只依賴國內媒體，很容易出現認知上的偏差。原因在於日本國內專門研究這兩個領域的學者和媒體工作者並不多。

碰到這種情形時，海外媒體就可以補充國內媒體的不足之處。

國外媒體經常能提供給我們，本國媒體或專家們所缺乏的「嶄新觀點」和「不同的價值觀」，令人眼界大開。

然而說到這兒，許多人馬上會遇到一個問題。

那就是閱讀英語文章需要花不少的時間。

雖然筆者的英語口說能力不佳，但因為經常閱讀英語文章，所以對這件事還滿習慣的。儘管如此，和閱讀日語文章相比，還是需要投入三～四倍的時間。

最近像「DeepL」等，應用深度學習提供高功能機械翻譯的服務雖已問世，但對於提高閱讀外語文章的效率，似乎沒有很大的幫助。

真正能幫到讀者的，還是該英語媒體所推出的中文版。

在我訂閱的雜誌中，有一本是《麻省理工科技評論》（*MIT Technology Review*）。該雜誌是麻省理工大學於十九世紀末創刊的，相當具有歷史的科技類型雜誌，而作為網路媒體，目前全球也已有多種語言的翻譯，並獲得各界肯定。

另外**「石英財經網」**（Quartz）這個科技類媒體，也同樣不容錯過。

「石英財經網」是在二〇一二年，於紐約發布創刊號的網路媒體，目前雖然已被經營「NewsPicks」這個經濟新聞網站的日本母公司「Uzabase」收購了，但目前仍以獨立媒體的方式來運作。

「石英財經網」裡有不少獨具慧眼的文章，放在科技類英語媒體中，也是獨樹一格的存在。

雖然「石英財經網」上的內容並沒有翻譯，但只要訂閱它，訂戶每天透過電子郵件能收到兩次內容，從中可以讀到不少蘊含「國內所沒有的觀點」的文章。

另外，成為付費會員之後，便能閱讀到英語版「石英財經網」的所有內容。**由於英語版的「石英財經網」是品質很高的媒體，所以我也有將其登錄在「Feedly」中，然後靠「DeepL」來翻譯自己感興趣的文章內容。**

挑選付費媒體的重點 ❸ 該媒體是否有「深度報導和分析」？

前面筆者提到過，藉由網路可以輕鬆地閱讀到專家們所發表的高見，是這個時代最大的福音之一。**因為專家們擁有「與普通人看法不同，不流於一廂情願的視角」，所以讀者光是接觸到他們的「多元觀點」，其實對自己就很有助益了。**

讀到這裡相信有讀者會提出質疑：「雖然報社、電視臺以及週刊雜誌等，並非特定領域的專家，但由這群專業、有組織的新聞工作者們所寫出來的文章，難道就沒有價值嗎？」

對於這個問題，原本的回答應該是斬釘截鐵的「有價值」。

因為在組織裡工作的新聞工作者們，確實可能得到足夠的經費，花時間針對某個事件或主題，來進行深度的追蹤調查。這種取材方式，是僅能支付低額稿費的網路媒體所無法望其項背之處，甚至連在大學裡頭的研究人員或專家，也不一定擁有這樣的資源。

我們在國內報紙、新聞臺和雜誌裡，確實可以發現到一些基於長期追蹤調查，所撰寫或製作出的文章以及報導節目。然而這畢竟只是少數。

事實上，**像這類以深度和長期追蹤調查的內容為基礎所撰寫的好文章，在海外媒體和報紙上，可謂俯拾即是。**

但一個人若是想把這些好的資訊內容一網打盡，肯定得付出極大的心力。而且除了英語實力外，若不具備一定的法語、德語，甚至是俄語、日文或義大利語等語言能力，也無法做到廣泛的閱讀。基於這樣的原因，我想向使用日文的讀者推薦由講談社所發行的**「COURRiER Japon」**（クーリエ・ジャポン）這份網路刊物。

這份電子刊物中，收錄並翻譯了來自**《華盛頓郵報》**（*The Washington Post*）以及**《費加洛報》**（*Le Figaro*）等國外高水準報紙裡的文章，讀者可以透過閱讀來增廣見聞。該刊物挑選文章的眼光獨到，能為讀者選出大量有深度又優質的文字內容，而且每個月僅需一千多日圓而已。[5]

---

5 審定註：臺灣讀者可選擇透過「FT中文網」（https://big5.ftchinese.com/）；「華爾街日報中文版」（https://cn.wsj.com/zh-hant）；「BBC NEWS中文版」（https://www.bbc.com/zhongwen/trad）閱讀國外高水準的報導。

以上就是筆者針對如何活用付費媒體所做的說明。

在這個免費資訊氾濫的網路時代裡，還是有些內容值得我們付費購買。反之，若收費媒體無法提供高品質的內容，也不值得我們花錢消費。

我敢保證，這一章裡我所推薦的收費媒體，無不在內容上有嚴格的把關。

相信大家只要看過這些媒體的付費內容後，一定能夠從中感受到，**在免費的網路世界裡所沒有的附加價值**。

第3章

如何善用社群網站？

——把推特當工具，透過社群網站獲得「拉式資訊」的方法

把推特當「資訊工具」使用的訣竅

我推薦把推特當「資訊工具」的理由

到目前為止，我已經解說了我們在面對網路、報紙以及付費媒體時，該如何做選擇的方法了。

但我們可不能忘記，還有「社群媒體」這個會主動提供使用者資訊的重要存在。

由於社群網站上充斥著許多流言和八卦消息，還有很多騙子在上頭伺機而動，所以不免難以獲得世人的信任。儘管如此，**我依然認為社群網站是重要的資訊來源**。

相信看到這裡，已經有讀者想要質疑：「你說這話是認真的嗎？」

是的，我是認真的。**而且在這麼多社群媒體中，我最推薦大家拿來當作蒐集資訊工具的就是「推特」**。

理由在於，**到了二〇二〇年代的今日，推特已非「用於人際關係」的社群網站，而是搖身一變，轉型為「資訊蒐集的工具」了**。

可能有人會想要質疑我：「佐佐木先生你知道自己在說什麼嗎？竟然會推薦大家使用推特？」

確實，推特在一般大眾心裡留下的印象並不是太好。

不少人認為推特上缺乏對事情的理性討論，動不動就發生「炎上」事件，要不就是充滿一堆人身攻擊的謾罵語言。

上述這些全部都是事實。**這類負面形象對「人際關係型的社群媒體」來說，確實會帶來相當負面的影響**。

然而若把推特當作「蒐集資訊的工具」來使用，那就是另一番光景了。

就算推特上沒有正經的討論，使用者經常吵成一團，還有一堆難聽的謾罵言語，但這些都和我們使用推特來蒐集資訊無關。大家大可**對這些爭執視而不見，只專心蒐集「好的資訊」**就好。

這就好像我們在過去的戰爭電影中所看到的情景，士兵們雖然扛著槍浴血奮戰，可是在戰場旁的農田裡，村人們依舊在幹著農活，偶爾撿拾一下彈殼或尋找戰鬥後遺留下來可作為燃料的東西。

我們只要當一個「村民」，一邊冷眼旁觀那些參與無休止戰鬥的士兵，一邊從推特上找到「好的資訊」就好了。

把推特當「資訊工具」使用的案例
——追蹤新冠肺炎的發展

那麼我們該如何把推特當成「資訊工具」來使用呢？

這裡筆者以二〇二〇年後，新冠肺炎的「大流行」為例來做說明。

在新冠肺炎全球擴散之前，除了部分該領域的學者專家外，一般人對肺炎相關的知識幾乎為零。對於「大流行」的印象，恐怕也僅只於一個多世紀前，於第一次世界大戰時爆發的西班牙流感而已。

此次新冠肺炎疫情，爆發於中國的武漢。

記得當疫情剛出現時，日本國內還一副事不關己的樣子，完全沒有任何危機意識。當時我因為還不清楚該相信什麼地方發出的資訊才好，所以先追蹤了一些國際知名的通訊社，如「法新社」（AFP）、「路透社」（Reuters）以及英國的「BBC」等，看其針對疫情所發布的新聞。

在我追蹤海外通訊社發布的新聞一陣子之後，日本醫界也開始出現一些觀察與分析疫情的人。還原到過去那個時間點，我們也只能選擇相信這些人的言論。

記得當時我曾把某位擁有醫療領域專家頭銜的「A先生」所寫的部落格文章，以及他接受採訪時所說過的話，都當成自己的參考資料。我之所以這麼做，究其原因還是因為，那個時候日本國內尚未出現對疫情積極做出反應的專家。

另外，當我用A先生所發表文章的URL在推特上做搜索時，也沒有看到大量對他言論所做出的批評。

然而在那不久後，從醫療和感染症的專家那裡，發出了不少對A先生的批判之聲，例如：**「這個人所說的話沒什麼根據。」**

為什麼事情會演變至此呢？

本來還挺認真的人，成了談話性節目固定班底後，變得越來越偏激

筆者在綜合看過許多醫界人士對A先生的評價後，發現到以下事實。

他的許多同行無不表示：**「A 先生過去是個挺實在的人，但在成為談話性節目的班底後，說話的內容開始越來越偏激了。」**

其實類似上述的事情並不罕見。

電視臺的攝影棚，具有**能讓人瘋狂的魔力**。

在談話性節目的主持人反覆要求發表評論的過程中，來上節目的來賓會逐漸從現場氣氛中查覺到，節目製作人、導播以及主持人們，希望能從他們口中聽到什麼樣的內容。

只有少數人能無視現場氛圍，暢所欲言地說出自己想說的話。然而這種特立獨行的來賓，不久就可能被踢出節目的固定班底之外，從此消失在螢光幕前。

從結果來看，節目製作方往往只會留下那些**願意說出他們想聽的評論**的人。

製作人、導播和主持人無不希望節目上的來賓，能說出可以提高收視率的言論。

然而，因為節目製作方並非醫療或科學方面的專家，所以有時甚至會要求來賓說出違反科學思維的言論。

一旦節目來賓成為高人氣的評論人之後，就算他是特定領域的專家，也很難與現場的氣氛抗衡。有時甚至會為了博得更高的觀眾人氣，主動積極地發表一些明顯令人感到狐疑又反科學的言論。

參加談話性節目的來賓若沒能守住自己的底線，一旦「渡過盧比孔河」（Crossing the Rubicon），就真正一腳踏進**「魔界」**裡了。

而我們也由此見證一位**擁有高人氣，卻被真正的專家們所唾棄，看起來「貌似專家」的談話性節目來賓**的誕生。

在推特上墮入「魔界」，成為「糟糕公眾人物」的人們

「魔界」可不只存在於電視臺的攝影棚中。

推特上「魔界」的入口，也一直保持敞開的狀態。

我們在推特上也能看到一些，原本剛開始經營自己的帳號時，發表著專業知識內容的使用者。由於這類專門性的內容對於普羅大眾來說通常不具吸引力，所以會去閱讀的人也不多。

然而有一天，**當這個推特用戶開始嘗試以較為偏激的口吻來發表文章後，發現竟然能得到一堆「喜歡」**。

這時他就走到「魔界」的入口了。

推特用戶一旦開始在意文章的「轉推」數，希望能讓數字增加，其所發表的文章內容，就越發容易劍走偏鋒。

為了獲得肯定而開始陷入發表偏激言論的循環後，當文章的轉推數開始增加，跟隨者也越來越多，為了得到更大的成就感，他就會進而發表內容更為偏激的文章。

然而驀然回首，他將發現儘管自己在推特上的追蹤者變多了，網路聲量也變大了，可是那些有道德良知的用戶們，卻也皺著眉頭，點下了「取消跟隨」。

可惜現實中，上述的警醒並不會發生。

像這樣的推特用戶往往只會認為自己已成了「網紅」，社會上沒有人不認識他。

這樣的人或許確實稱得上是網路的「名人」，但「出名」絕不等於值得他人信賴。

我們可以稱這樣的人是**「糟糕的公眾人物」**。

如何區分「認真實在的專家」和「墮入魔道的專家」？

不論是在電視或網路上，大家隨處都可以發現通往「魔界」的入口。

就算是原本風評很好的專家，也不表示我們就能一直信賴下去。

由於工作性質，筆者長期涉足與媒體和網路相關的領域，而且親眼見證過許多在進入

「魔界」後隨波逐流、甘於受到擺布，最後不知所終的人。

從短期來看，發表偏激又能吸引他人注意的言論，讓自己成為網路名人，或許對當事人來說能嚐到不少甜頭。但從長遠來看，其實一點好處也沒有。因為這種人最後終究還是會原形畢露，失去自己的舞臺。

那麼問題來了，**我們該如何看穿哪些是「墮入魔道的人」，哪些又是「值得相信的專家」呢？**

如果只是憑藉個人對專家所做的評價，其實不足以讓我們做出正確的判斷。

而且，**「入魔的專家」有時還會惡人先告狀，對「認真可靠的專家」發動攻擊**，讓信賴自己言論內容的粉絲，覺得那些「認真可靠的專家」才是有問題的傢伙。

類似這樣的案例，在網路世界可謂屢見不鮮。

因此不論是出現在推特或電視上的內容，我們都不能囫圇吞棗地相信。

實際上，**一般人也有能力去分辨出「哪些資訊是可靠」的**。

五階段「推特追蹤法」

當我們在看到一篇內容不屬於自己專業知識領域的文章時，其實是有一定基準可以分辨，該篇文章內容是否可信的。

以下**這五個階段是筆者所構想出來，並已親自實踐的「推特追蹤法」**。

> ① 檢視該篇文章在推特上被如何評論？
> ② 在評論中，有無該領域專家的意見？
> ③ 這些發表評論的人，背景為何？
> ④ 發表評論的人使用的語言妥當嗎？
> ⑤ 把通過前四項檢核的專家納入追蹤名單。

階段❶ 檢視該文章在推特上被如何評論？

首先，**當我們在網路上發現某篇文章時，可以把該篇文章的URL複製下來，然後在推特上做搜尋**。如此一來，就能在推特上看到，使用者對該篇文章所做的評論一覽了。

然而在做這件事情時有一點要特別注意，那就是**不論一篇文章的內容有多好，也肯定會存在一定數量，對其進行批判甚至攻訐的人**。

因此我們不能僅以一篇文章是否「受到批判或反對」，來當作判斷其是否為好文章的依據。

階段❷ 在評論中，有無該領域專家的意見？

在階段❷裡，我們要從許許多多推特上的評論中，看看哪些評論**「有使用專業用語」**或**「發表評論的人所寫的內容，能讓人覺得是出自專業意見」**，然後挑出符合上述兩點的評論。

通常在門外漢的評論裡，不太會出現「專業術語」。

舉例來說，在新冠肺炎相關的文章之中，有一部分是醫師建議民眾應該去接種疫苗的內容。

而針對這類文章會發表「接種疫苗所帶來的**『不良反應』**（Adverse Effect）令人擔心」評論的人，通常都是門外漢。

因接種疫苗所引起的不適症狀，通常稱為**「副作用」**（Side Effects）。而「不良反應」所指的是，因服用藥物所引發的症狀。更進一步來說，在不清楚是否因接種疫苗所直接導致的接種後不適之症狀，還有**「不良事件」**（Adverse Event）此一更為專門的術語。

然而對於閱讀文章的人來說，可能一開始並不清楚上述這些專門用語。

那麼大家該如何才能認識到這些專門用語呢？

方法也很簡單，就是**在谷歌上搜尋**。

舉例來說，如果我們在谷歌上用日文的「疫苗」（ワクチン）來作搜尋的話，可以查到「日本厚生勞動省」[1]和「日本感染症學會」的網站，**而我們只要大概瀏覽過這類值得信賴的網站裡的內容後，也就能大致掌握整件事情的輪廓了**。

無須詳細閱讀網頁裡的內容，**只要大概瀏覽一下官方專業網頁上所提供的資訊，就能獲得充分的背景知識**。

專欄

閱讀政府機關網站內容時的重點

我認為這是在閱讀政府機關網站內容時的一個重點。**「一邊挑出專門用語一邊往下閱讀」**。

當我們在谷歌上用「疫苗」兩個字做搜尋時，能夠找到衛生福利部疾病管制署「COVID-19 疫苗」，這個為一般大眾所開設的網頁。

當我們在閱讀這類網頁的內容時，一定會發現不少專門用語。例如「有效性」、「副作用」、「國內臨床實驗」、「過敏性休克的發生機率」、「重症危險因子」等。

雖然這些詞彙對一般人來說有點陌生，但卻是專家們所使用的表達方式。

從這裡我們也可以反推出，**能夠妥當地使用這類專門用語的人，才有能力發表**

1 譯註：相當於臺灣的衛福部。

具有見地的評論。

閱讀有權威者的網頁裡的內容，大致掌握專門用語的意思，然後看看推特上的評論內容裡，有沒有出現這類詞彙，藉由這幾個步驟，我們就能大致分辨出，哪些人是門外漢了。

當然我們依然無法排除，有些騙子會以在文章裡使用專門用語，做為掩護自己身分的一種方法。

至於該如何才能拆穿這些騙子的假面，還需要運用不同的方法。這部分我會在階段❸說明。

階段❸ 發表評論的人，背景為何？

階段❸裡，我們要來看看**「這些發表評論的人，他們的背景為何？」**

在會對新冠肺炎疫情的文章發表評論的人之中，擁有**「傳染病專門醫師」**身分的人所說的話，當然最值得信賴。

雖說「醫師」這個頭銜確實很重要，**但也並非只要是「醫師」，就一定熟悉傳染病**。

在複雜的現代社會中，每個領域都呈現極高的專業性，就算在擁有相同的資格或頭銜的人群中，也會出現某人完全不了解對方專業領域內容的情形。這種現象不只出現在諾貝爾科學類獎項的得主或日本學術會議的議員之間，普通人也不例外。

我自己覺得，**會在推特的「個人資料」裡刻意提到「我雖然是醫師，但並非傳染病的專家」的人，除了謙虛之外，通常也比較值得信賴**。

我想這是因為，越是對於自己的專業領域富有自信的人，通常也越會尊重別人的專業領域吧！

這種人愛惜自己的羽毛，不會輕易對非個人專業領域的內容妄加評判，所以當他們「在發表自己的觀點時，會在遣詞用字上格外小心謹慎」。

階段❹ 發表評論的人所使用的語言妥當嗎？

我們不只要去看發表評論者的個人資料，還要稍微瀏覽一下該人平日在推特上所發表的內容。

這麼做不但可以看出這個人的專業度，也能同時觀察**「他的文字是否冷靜客觀」**。

在已發表的文章中，字裡行間隨處可見糟糕的遣詞用字，或是喜歡用強烈斷定口吻的人，通常都不太值得相信。

越是充滿知性的人，或專精於某個領域的專家，他們**「在表達意見時，越不會去使用斷定的口氣」**。

反之，越是半調子或對事物的認知不夠深刻的人，則越喜歡去使用斷定的口氣來陳述意見。

專欄

為何半瓶水的人，喜歡用斷定的口氣說話？

「鄧寧—克魯格效應」（Dunning-Kruger Effect）是用來指稱此現象的專門用語。

「鄧寧—克魯格效應」是由美國康乃爾大學的大衛・鄧寧（David Dunning）教授和他的學生賈斯汀・克魯格（Justin Kruger）兩人，在進行**「為何能力較差的人，容易認為自己優異出眾」**這個研究時，所得到的結論。

一般人在學習某件事物的初期，容易沉浸在「我比其他人擁有更多專業知識」這種優越感之中，自信度也會隨之提升。

但隨著對該領域的學習愈加深入之後，人們會逐漸意識到「原來自己所知道的事情其實少的可憐」，然後便不再使用斷定的語氣來發表意見，說話也變得小心謹慎起來。雖然處在這個時期的人大多沒有自信，可是一旦通過了這一關，當自己確實獲得了真正的專業之後，自信又會再度回到自己身上。

由此我們可以知道，擁有紮實專業知識的人，其實應該會相當明白**「目前自己所掌握的知識，不足以解釋所有問題」、「這個世界的深與廣，遠超過自己的想像」**。

接著也會更進一步認識到「人類的知識有其界限」這個事實。因此他們絕不會以斷定或強硬的口吻，來發表自己的意見。

從上述的內容我們可以知道，那些喜歡用斷定或強硬的口氣來說話的人，通常人文素養和知識水準並不怎麼樣。

階段5 把通過前四項檢核的專家納入追蹤名單

經過前面幾個階段，我們已經可以從在推特上發表評論的人之中挑出幾位人選，接著進一步檢視，他們發表的文章內容是否妥當。**如果有專家或與專家相當的人對其發表的內**

容「按喜歡」，則表示文章的內容基本上沒有問題。

我所提出的「推特追蹤法」，優點在於它不只能用於判斷一篇在推特上受到議論的文章之品質好壞；還具有可以從推特中，找出某些特定領域的專家，**「取得應該追蹤起來的優質帳號」**這個「附加效用」。

所以最後，就是執行「階段❺把通過前四項檢核的專家納入追蹤名單」。

前面有提到，筆者在疫情大流行時，為了判斷 A 先生所寫的文章是否可靠，當時也用了「推特追蹤法」，閱讀大量推特上有醫療背景的用戶所發表的評論。

透過這種方式，我累積了不少值得信賴的推特用戶，並且把他們都整理在一個名為「COVID-19」的名單中。

最終進入這份名單的醫療背景相關人士數量，雖然達到數十人之多，要每天追蹤他們的發文也不容易，但這麼做卻能幫助筆者在做出**「值得相信的評論時」**，發揮極大的效果。

靠自己打造「值得信賴的專家名單」

「信賴程度如何改變」也值得關注

當我開始跟蹤「COVID-19」名單上的推特用戶後發現，由此還能觀察到**「某個人的信賴程度是如何發生改變」**這個過程。

前面提到的Ａ先生，起初雖然受到大家的信賴，但不知從何時起，其他專家開始對他所說的話提出類似「Ａ先生說的話，內容有點問題喔」的質疑。

接著逐漸有人認為：「Ａ先生是不是出了什麼問題啊？」

又過了一陣子之後，諸如：「Ａ先生最近的言論，好像有點偏激耶」或「Ａ先生所說的話，大家可別輕易當真啊」這類的言論，開始出現得愈加頻繁。

最後甚至演變為「以前的Ａ先生很可靠，和現在簡直判若兩人」、「Ａ先生又在胡說八道了」。

前面這些針對 A 先生的批評意見，並非出自某一位專家之口，而是許多專家們之間的共識，因此連我這個非醫療相關背景的人，也掌握到了。

綜合上述內容，**我不會「只相信某一位特定專家所說的話」，並且藉由跟隨推特上其他專家們帳號的方式，從「專家群體」中發現他們對某位專家的共識，最後才能讓自己做出「正確可靠的判斷」**。

人會改變，專家們當然也不例外

讓我們來看看另一個例子吧！

B 先生是一位經常在推特和 Youtube 上，發表激烈言論的醫療相關領域專家。

過去，我不太相信他所說的話，因為我覺得會發表如此偏激言論的人，應該也不會是什麼正經的專家。

但後來我注意到，在「COVID-19」名單中，支持 B 先生發言內容的人其實還挺多的。

「B 先生不愧是日本在該領域的權威，但實在不太擅長與人溝通。」

「B先生如果不改變一下說話的方式，恐怕會失去別人對他的信賴。」

「發表的內容是正確的，但其他就……。」

要是我沒有關注這個「專家群」，B先生所發表的內容恐怕就無法得到我的信賴了。

藉由觀察專家群體整體如何評價「圈內人」，並以橫向的方式來觀察，就能清楚看到某位特定專家所受到的信賴程度如何演變。

B先生的故事到這裡尚未結束，在疫情進入到大流行之後，他個人的評價開始逐漸走下坡。

原因在於，B先生身為專業人士，雖然在其所專注的領域內沒有可非議之處，但由於他的言論過於偏激，而且還會不時「暴走」，做出超過專家權限的發言，所以受到了來自「專家群」的批判。

透過上述的觀察，筆者彷彿經歷了一段暗中窺探一位素未謀面之人的人生歷程之感。

當我們要對一個人做出評價時，不能僅關注「某個特定的時刻」，還應該順著「時間軸」來做觀察，這樣才有較大的意義。

不管是多麼出色的專家，會走偏的人還是會走偏。反之，有些原本已經歪掉的人，也可能會突然醒悟過來，開始發表正確的言論。

每個人其實都存在著不同的面相，我們無法在很短的時間內，就對某人做出他是「善」或「惡」的判斷。

我覺得推特有意思的地方就在於，使用者可以透過該社群網站，得到上述這樣對人的認識。

值得信賴的專家名單，只能靠自己慢慢建立

行文至此，我要再次呼籲，**希望讀者們不要只關注個別的專家，而是應該更加重視「專家群體」**。

話雖如此，一般人不太可能立刻知道這樣的專家群在哪裡，又有哪些人在這個群體之中。就算真的存在一份不知道是由誰所建立的名單，也不能就不假思索地接受，因為我們不知道建立這份名單的人，是否值得信任。

所以我建議大家可以像我這樣，**靠自己打造一份推特上的追蹤名單**。

當然，一般人不可能立刻完成這樣一份名單，但**只要循序漸進地增加名單上的推特帳號**就可以了。

如同筆者在前面提過的，讀者們可以把「一篇文章如何被評價」這件事當作起點，逐漸向外擴大，以這種方式來增加名單上的人數。

我認為，**值得信賴的專家很大程度，應該也和其他同樣值得相信的圈內人保持聯繫**。

正因如此，我們才能透過值得信賴的專家在推特上的帳號，來認識其他和他一樣可以相信的專家，並陸續將其收入自己的名單之中。

若能在不同知識領域都有「值得信賴的名單」，你也能成為「資訊王」

或許有讀者會問，如果在用自己的方法所建立的名單之中，有一堆「魔界裡的專家」的話，該如何是好呢？

我認為雖然確實有可能發生這種事，但機率應該相當低才是。

其實不論在哪一個領域之中，都存在著為數眾多且值得信賴的專家。

另一方面，**「墮入魔道的專家」其實反而沒有那麼多**。而且這些人**在「專家群」之中，通常會遭到孤立**。

實際去看一下這些入魔的專家們的推特就會發現，他們很少轉推其他專家們的文章，彼此之間也少有互動。

而且有意思的是，與自己同行的人相比，入魔的專家對政治人物或社運人士這類喜歡出風頭的人更感興趣，並且和他們之間有密切的往來互動。

只要使用筆者所推薦的方法，**在不同的知識領域，都建立一份「值得信賴的推特用戶名單」，就能替自己打造出就算在不熟悉領域，也能獲得高信賴度資訊來源的管道**。

當你能在不同的知識領域裡建立起「值得信賴的推特用戶名單」後，除了目前全球都在關注的新冠肺炎疫情之外，還能獲得來自自然科學、人文科學、社會、經濟或政治等領域的資訊，**如此一來不就好像同時獲得了萬人，甚至是億人的力量了嗎？**

若真能如此，每個人都可能成為名實相符的**「資訊王」**。

資訊整理法：如何閱讀、整理與保存選中的文章？

——「Pocket」是「稍後閱讀」的王者

如何閱讀、整理自己所挑選的文章？

文章該如何閱讀、整理和保存？

到前一章為止，筆者已經把使用「RSS」、「付費媒體」和「社群媒體」挑選出有用資訊的方法，做了詳盡的說明。

接下來要和大家分享的是，該如何閱讀、整理以及保存這些，我們所挑選出來的文章。

首先要注意的是，**不論是社群網站或「RSS」，檢視文章標題時，並不需要連內文也同時閱讀**。

在文章的標題和內文之間加入緩衝，是比較理想的做法。

也就是說，**「檢視文章標題」和「仔細閱讀文章內容」，應該在不同的時間來執行**。

為什麼要這麼做呢？理由其實很簡單，因為會用到的「腦部空間」不同。

「檢視文章標題＝瞬間爆發力」
「閱讀內容＝持久續航力」

① 「檢視文章標題＝瞬間爆發力」
② 「閱讀內容＝持久續航力」

這是兩件性質完全不一樣的事情。

因為「瞬間爆發力」具有不論於何時、何地都能使用的特性，所以像是等電車來的時間、公司開會前的空檔，甚至是上廁所的幾分鐘，都是我們**可以善加使用的零碎時間**。

另一方面，用於閱讀文章的「持久續航力」則和「瞬間爆發力」不同。

而且不論是使用手機或是電腦來閱讀文章，我們都得**專心地盯著螢幕看**才行。

除此之外，也還需要充分的時間。就算是有閱讀習慣的人，閱讀一篇內容三千～五千字的長文，也要花十～十五分鐘左右的時間。

因此我認為，會用到「瞬間爆發力」的文章標題檢視，可以和閱讀文章分開，以不同的時間段來做。

那麼我們該如何分別使用「瞬間爆發力」和「持久續航力」呢？

有「稍後閱讀」功能的APP裡，最推「Pocket」

其實這是有訣竅的。我建議讀者們**使用擁有「稍後閱讀」功能的APP**。

有些APP可以歸類在「稍後閱讀」這種類型之中。

例如「Pocket」和「Instapaper」就是這類APP中，知名度最高的兩個。

另外，前面介紹過的「Feedly」裡，其實也有「稍後閱讀」的功能。

使用電腦版「Feedly」時，只要在目前所閱讀的文章畫面上，點一下「Read Later」，就能把該篇文章收錄到位於螢幕左側的「Read Later」裡。

但比起其他的APP，**我最想推薦給大家的是「Pocket」**。

「Pocket」的優異之處在於，**它有保存已經讀過的文章，以及為文章標上標籤，以便於日後搜尋的功能**。這些功能對於資訊蒐集來說，相當重要。

每天新出現的資訊，會不斷淹沒在資訊的洪流之中。

就像「News」這個單字，不正是以「New」的複數型來呈現的嗎？儘管舊的事物理所當然會不斷往後退行，但我們有時也會面臨到，需要轉過身去做回顧的時候。

這裡我想談的，和反省過往或思念故鄉等情感方面的話題無關。現實中，**經常會出現有些舊聞在過了一段日子後，反而對我們有所助益的情形**。

今天讀到的經濟新聞，也許會在半年後，突然產生意義

歷史總是不斷地重演。

這點不論是套用在帝國興衰或國際秩序的轉變等宏大敘事上成立，或者換到一個產業的壯大與衰落，以至於一間公司的成長、衰敗過程，都完全能適用。

再把視野縮小一點，當我們要去探討「某間公司在新領域發展的失敗原因」時，肯定也能找到許多「其實只要看看另一間公司去年所遭遇的相同失敗案例，就能大致了解箇中原因」的情況。

「溫故知新」這句成語讓我們知道，「人們可以從已經發生過的事情之中，發現新的啟

示」。**舊的資訊裡，確實有不少能對新事物提供啟發的內容。**

光是大量閱讀文章或蒐集資訊，其實並非我們的目的。**我們真正的目的，應該是透過閱讀文章或蒐集資訊來累積「概念」。**

什麼又是「概念」呢？正如我在序章所說的，大家可以把「概念」想成是**「將『多樣資訊』結合成一個故事，或依照順序來整理，使其成為一個『世界』」**的東西。

這裡大家不妨回憶一下，小學上國語課時的情景。

老師是不是經常會在大家讀完課本的文章之後，出類似「作者藉由這篇文章想說什麼？」的作業呢？說得更簡單易懂些，**文章作者「想要傳達的訊息」，其實就是「概念」**。

藉由閱讀文章，讀者們要做的是從字裡行間找出故事，以及從各種解釋裡，抓住「作者想要表達什麼？」然後將這些內容累積在自己體內。

當然，我這麼說並不是要大家去記住閱讀過文章裡的每一個字、每一句，因為包含我自己在內的一般人，都絕對做不到這件事。

然而**如果是「我好像在哪裡看過這種觀點」如此的「概念」的話，每個人都可以在腦海中為其預留一個存放空間**。

如果大家對於把概念存放在腦中沒有自信的話，使用「筆記ＡＰＰ」來做紀錄也是一個不錯的選擇。

我們可以在APP裡建立一個「概念名單」，然後把自己從「多樣資訊」中所得到的「概念」，一個一個慢慢加進去（具體作法留待第六章再詳細解說）。

蒐集資訊這件事，絕不只是把資訊給找出來集中在一起而已。而是要**把資訊裡頭的意義和價值觀，儲存在自己體內**。

雖然單一資訊中的意義含量不高，容易讓人感到無足輕重、可有可無，但可別忘了「積沙」還是能「成塔」的。

在經歷過好幾次類似的經驗之後，我敢向大家保證：**「今天你所讀到的某篇財經媒體上的文章，在過了半年或幾年之後，有一天會突然對自己有所幫助。」**

就算已經想不起文章內容裡的細節了，但**「自己好像在哪裡，讀到過類似的文章」這種模糊的印象**，肯定還留在每個人腦海中的某個角落裡。

收進「Pocket」裡的文章，都是建檔資料

這裡就舉個例子來做說明。

筆者在不久之前，對**「文科的想像力」**這個話題還頗感興趣的。這件事可以回溯到，我參與了一檔自己經常亮相的電視節目所製作的，名為「哲學在未來商業中的重要性」的特別企劃。

像長久以來那樣，公司一推出新家電用品就能賣得出去的時代已經結束了。就算去做市場調查，也很難真正挖掘出消費者的潛在慾望是什麼。

在這種情況下，能像蘋果公司創辦人史蒂夫・賈伯斯（Steve Jobs）開發出 iPhone 這種「把自身『世界觀』商品化」的能力，就成為新時代所需了。

而若想獲得這種能力，則需要具備**「哲學性的思考」**。

我在該節目中發表了上述評論時，回想起自己以前所讀過的文章裡，好像有一篇關於法國軍方想要借重科幻小說作家想像力的文章。

接著又順藤摸瓜地回憶起：「我好像還曾讀過，有企業雇用科幻小說作家來擔任公司顧問職的文章。」「記憶」就在這種情況下逐漸甦醒，清晰起來。

遇到這種狀況時，**「Pocket」的文件封存功能（Archive），就可以顯現出它的意義了**。

「Pocket」內建**只要點一下文件封存功能的圖示，就能把讀過的文章保存下來的功能，不僅如此，日後還能藉由標題關鍵字的搜索，來找出過去已經收藏過的文章**。

就這樣，筆者透過 Pocket 挖出了兩篇，自己以前讀過的文章。

一篇是在二〇一九年時，於「GIGAZINE」（ギガジン）這個日本科技類媒體平臺上，刊載過的〈法國陸軍雇用 SF 作家，來預防未來可能遭遇的威脅〉這樣一篇文章。

另一篇同樣是二〇一九年，發表在「WIRED」日文版上的〈Sci-Fi 中所描繪的「未來」，如何改變我們的「現在」〉這篇文章。

第二篇文章的內容很有意思，文中提到美國有一間名叫「Sci Future」的公司，該公司和將近百位的科幻小說家簽約，讓這些作家替前來找「Sci Future」幫忙的公司，創作出屬於他們公司的原創故事。

需要「永久保存」的文章，同時存放在「筆記軟體」裡

在這裡，我要提醒各位讀者，「Pocket」的收藏功能，其實只能儲存該文章的 URL，因此**若原來的網站刪除了原文，我們就無法閱讀該文章了**。

因此我建議大家，除了「Pocket」之外，別忘了也要把重要的文章，同時保存在「Notion」、「Microsoft OneNote」、「Evernote」或「Google Keep」這類「筆記軟體」中。

做法是，先用瀏覽器開啟文章頁面，然後以複製貼上的方式，把整篇文章搬到「筆記

軟體」。

多了這一道手續後，就算文章在原網頁上被刪除了，我們還是能閱讀到。

但不得不說，上述這個方法實際做起來其實很麻煩。要把每一天所檢視過的文章全部透過複製貼上來保存，是一件不切實際的事情。

因此我只會把**自己認為真正重要，需要「永久保存」的文章，保存在「Notion」裡；不那麼重要的文章，就只封存在「Pocket」**。

這麼做既省時又省事。

使用「Pocket」還有另一個好處。

那就是只要把網頁設計得花裡胡哨、不易閱讀的文章保存在「Pocket」上，就能**利用「Pocket」內簡單乾淨的瀏覽器，只閱讀文章的文字內容**。

一些文字過小的網頁內容，也推薦大家不妨使用「Pocket」來閱讀（但可惜的是，內容超過一頁的文章，從第二頁起就無法享受到這項服務了）。

圖表 4：「稍後閱讀」APP「Pocket」的使用方法

在此要說明「Pocket」的具體使用方法。不要擔心，很容易的。

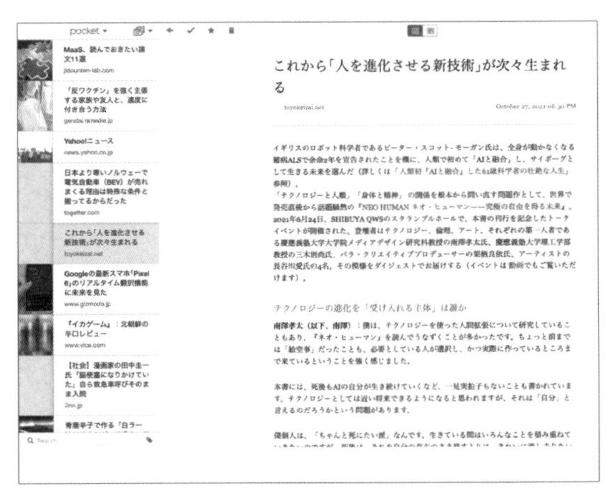

在電腦上閱讀保存在「Pocket」裡的文章

「Pocket」和「Feedly」一樣，都可以在瀏覽器上使用，也有電腦版和手機版的APP 可供下載。

「Pocket」在安裝完成，帳號登錄好之後，可以和「Feedly」合併起來使用。

若要在電腦上合併使用，可先到「Feedly」的「Setting」裡選擇「Integrations」，接著點選「Connect to Pocket」，然後輸入「Pocket」的 ID 和密碼。

完成後關掉「Integrations」，回到「Setting」。接著點選「Saving and Sharing」，然後再點選「Pocket」的圖示，就完成了。

完成上述設定後，顯示在「Feedly」的文章裡，就會看到「Pocket」的圖示，只要在圖示上點一下，就可以把文章保存到「Pocket」了。

除了「Feedly」，相信也有使用者期待能在瀏覽器上閱讀文章時，直接把閱讀中的文章保存到「Pocket」裡。

手機版的「Pocket」APP 只要下載好，就已具備了資訊分享的功能。

使用電腦的話，只要下載「Save to Pocket」這個擴充功能，就能在瀏覽器的工具列或以點擊滑鼠右鍵的方式，來使用「Pocket」。

用手機閱讀時

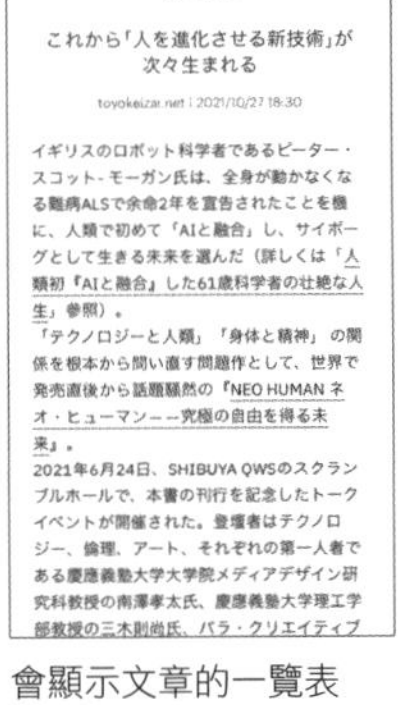

會顯示文章的一覽表

要發表「什麼」以及「如何」發表文章

每天早上八點，我在推特上轉發十篇報導的理由

當我們把文章保存在「Pocket」之後，接著當然就是要來閱讀啦！

我總是會在讀完文章之後，挑選一些自己覺得值得介紹給大家的文章，轉發到推特上——這已經成為我每天會做的「基本動作」了。

保存在「Pocket」裡的文章，我會利用十～十五分鐘左右的空檔時間，來進行閱讀。每天會讀三十～四十篇，保存在「Pocket」裡的文章。

作為筆者的「日課」，我會從這些讀過的文章裡找出**約十篇左右**，自己覺得「有趣」、「重要」以及「觀點新穎」，或是「大家應該能津津有味地讀下去」的文章，在每天早上八點鐘時，轉發到推特上和讀者們分享。

我之所以會選擇在早上八點這個時間發文，主要是考慮到此時很多人都在搭車通勤，

因此或許能有較高的機率，讓其他人讀到我轉貼的文章。

使用「Buffer」來預約貼文的排程

我在社群網站上發文時，會使用「Buffer」這個ＡＰＰ。

這是一個可以在推特和臉書上，安排發文排程的軟體，使用者**只要事前將發文時間設定好，等預約的時間到了，ＡＰＰ就會自動把文章內容或連結，發表在社群網站上**。

除了手機之外，「Buffer」也有擴充功能可供下載，不論你所用的瀏覽器是「Chrome」或「Firefox」，都能對應。在電腦上安裝好「Buffer」後，就能輕鬆搞定，在預定的時間於推特轉貼自己想介紹的文章了。

「Buffer」除了可以單次設定發表貼文的時間，也能在軟體的設定畫面中組織貼文的排程，完成後軟體就會照著「Schedule」上的順序來動作。

每天早上從八點開始，每隔二～三分鐘，我的推特以及臉書帳號，就會依照事前設定好的排程，同步發布新的貼文。

圖表 5：貼文排程軟體「Buffer」的使用方法

這裡來和讀者們介紹一下「Buffer」這個 APP 的使用方法。

首先請大家在網路上搜尋「Buffer Chrome 擴充功能」，然後下載瀏覽器的擴充功能。設定好帳號後，就能用「Buffer」連動推特以及臉書了。

預約排程時，請先把想要分享到社群網站的文章在瀏覽器上打開，接著點一下工具列上的「Buffer」擴張功能圖示，就會跳出一個小視窗。

點擊「Buffer」的擴張功能圖示後，會跳出一個小視窗。此處可以輸入自己對該篇文章的介紹文。

視窗裡會顯示所要分享的文章標題和 URL，還有可以輸入自己對這篇文章的介紹的空間。輸入完後，可以從右下方的﹀中找到「Schedule Post」，點擊並設定要發文的日期和時間。最後只要按下「Schedule」，預約貼文的排程就算完成了。

你只需在這個小視窗裡操作，就能在推特或臉書等不同社群網站上（免費版的只能分享到三個社群網站），同時完成預約貼文的排程，可說是相當方便。

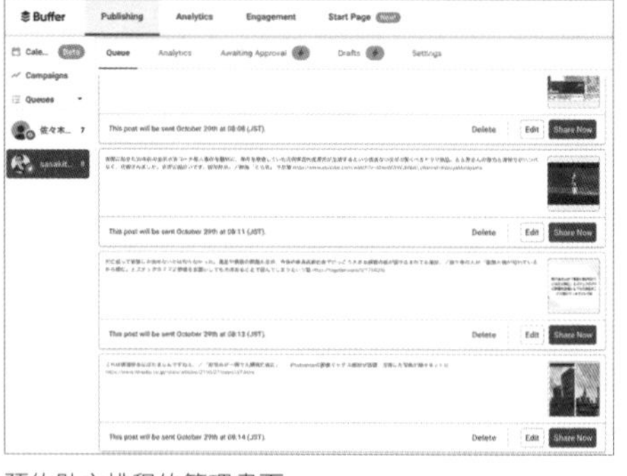

預約貼文排程的管理畫面

把所選文章發表在社群網站的目的 ❶

純粹出於共享精神

把自己挑選的文章在社群網站上做分享，對我個人而言有**三個意義**。

首先是基於**純粹的共享精神**。

這是出於希望有其他人，也能因閱讀到我認為有意思然後分享出去的文章，而得到與我相同的愉悅感。

從事這種志工行為，當然不期待能從中得到什麼好處。

閱讀我在推特上所轉貼的文章完全免費。每天早晨，追蹤我推特帳號的八十萬名跟隨者，都能不花一分錢，就讀到優質的好文章。

我經常能收到類似「真的很感謝佐佐木先生」或「每天早上都有好文可讀，謝謝」這類的反饋。每當看到這些回應，都能讓我保持開心愉悅。

其實我個人是相信，只要能對他人保持善意，並做出無私的奉獻，到頭來自己也會收獲到好的結果。

不知道你是否知道《給予：華頓商學院最啟發人心的一堂課》(*Give and Take*)這本書？《給予》被歸類在商業理財類書籍中，作者亞當・格蘭特（Adam Grant）是美國知名學府・賓州大學華頓商學院史上最年輕的終身教授。

本書裡，作者把人分為**「給予者」**（Giver，願意無私奉獻的人）、**「索取者」**（Taker，只專注在如何把利益最大化的人）以及**「互利者」**（Matcher，會去不斷思考得、失之間平衡關係的人）這三種類型。

在過去，有不少上司會把部下的功勞據為己有，以此方式成功取得升遷的機會。

但在**網路普及的今天，其他人對某個人的評價，能夠立即在網路上散播開來**，意識到這一點的格蘭特認為，**在接下來的時代中，「給予者」會比較吃得開**。

在「給予者」的好風評容易擴散出去的同時，「索取者」的惡行惡狀（「那個人喜歡把別人的東西占為己有」），也同樣容易壞事傳千里。

然而不能否認，「給予者」多少可能會遭到別人的背叛。

儘管如此「我被那個人騙了」這樣的訊息，也可能會讓被害者得到「這麼好的人，竟然會遭人騙」的同情；與此同時，騙人的人也會得到「很糟糕的人」這樣負面的評價。

因此，**從結果來看，「給予者」還是有所得的**。

『GIVE & TAKE「与える人」こそ成功する時代』
《給予：華盛頓商學院最啟發人心的一堂課》

可以說，成為一名「給予者」，是一種新的生存戰略。

筆者利用推特來分享、介紹各式文章和動畫已經超過十年了，也因此擁有不少推特上的跟隨者。

不少人會向我提出「要不要見個面啊？」或「我想介紹某人給佐佐木先生認識」，透過這樣的方式，我結識了不少有意思的人，有些甚至還和我的工作產生連結。

雖然從事志願服務這件事，短期內不用期待會得到任何回饋。

但**若把眼光放長遠一點來看，我們還是可以期待以這樣的方式來建構良好的人際關係，並有所收穫**。

把所選文章發表在社群網站的目的❷ 培養會去蒐集資訊的「精神強制力」

當你能和自己做出「每天早上，我一定要分享幾篇文章，給在推特上的跟隨者」這個約定時，其實也就已幫助自己培養出，會去蒐集資訊的「精神強制力」了。

單純的蒐集資訊，其實只能算是一種「輸入」（Input）行為，對應用在工作上沒有幫助。

我是一名文字工作者，需要寫稿子，也就是得靠「輸出」（Output），才能獲得收入。除了寫文章外，我還會參加一些講座活動或參與電視節目的錄製，這些事情無一例外，都需要輸出。**只有輸入，是無法維持生計的。**

然而在看似理所當然的結論背後，其實有一個需要注意的「大坑」。那就是**「如果一個人沒有努力且持續的進行輸入，那麼總有一天用來輸出的資源也會用罄」**。

日常生活中，我們經常可以看到一些讓人覺得很「可惜」的文化人或作家。他們會在電視節目上講一些別人愛聽的話，而且不論說什麼都有粉絲支持，並得到相當不錯的報酬。然而過程中，他們也因此逐漸忽略了輸入的重要。

儘管作為公眾人物，他們或許有辦法維持自己的人氣不墜，但作為一個輸出資訊的人而言，可以說已經到盡頭了。墮落到這種程度的人會不斷重複自己曾經說過的話。就算出新書，也是像某些藝人那樣，找寫手來代筆完成的。而且內容還是把自己過去已經出版過的代表作稍微改頭換面，冷飯新炒。

雖然他們還是能賺得盆滿缽滿。但走到這一步可以斷定，**這種人的資訊量已經枯竭了**。

為了不讓自己最後也變成這樣的人，我們必須往「知識之泉」裡，不斷注入源源不絕的活水才行。

雨水下在山上後會儲存在森林深處然後轉變為地下水，當地下水流出地面後，會滋潤地上的池泉和田圃。而「資訊」正如同地下水，是能滋潤我們乾涸知識庫存的良方。

當我和自己做了每天都要「分享幾篇文章」的約定後，便開始持續不斷地蒐集資訊，讓接觸新事物，成為**具有自我強制力的每日課題**。

之後就算不是刻意為之，我也已經養成會持續去吸收新資訊的習慣了。

把所選文章發表在社群網站的目的 3 幫自己容易找出以前讀過的文章

藉由在推特上分享文章，還能幫助自己更容易找到過去讀過的文章。

當然，這還需要借助「Twilog」所提供的服務才行。

「Twilog」所提供的服務是，只要用個人的推特帳號登入，就可以免費獲得自動記錄，它會記下使用者每日在推特上所發表的文章。

「Twilog」內也有搜索功能，讓你可以用關鍵字，立刻找出自己以前所發表過的文章。

讀者們可能會說，「Pocket」和「Evernote」這類「筆記軟體」，不是也有搜尋過去紀錄

的功能嗎？既然如此，為什麼佐佐木先生還要使用「Twilog」呢？

這是因為「Twilog」除了能記錄下轉貼的文章，還能同時保存我針對該篇文章所寫下的評論。[1]

當我們要搜尋過去讀過的文章時，有時候會發生「忘了那篇文章的標題」這種事情。「筆記軟體」雖然可以用文章中出現的關鍵字來做搜尋，但有時我們未必能想起那些關鍵字。與之相對，**人們卻不太會遺忘自己所撰寫的感想或評論**。

「對了，我記得之前讀過的文章所描述的情境，和日本戰國時代還挺像的。自己還在評論處寫下『織田信長讀了這篇文章，應該也會哈哈大笑吧』。」

像上面這種程度的短文，也能起到引出記憶的作用，幫助我順利找出以前讀過的文章。

專欄

人類的記憶分為「語意記憶」和「情節記憶」

人類的記憶可以分為**「語意記憶」**（Semantic Memory）和**「情節記憶」**（Episodic Memory）兩種。

所謂的「語意記憶」指的是像「織田信長在一五八二年時，因遭到明智光秀所率領的部隊攻擊，最後以自殺的方式結束生命」這樣，會出現在教科書裡的單調敘事內容。

與「語意記憶」相對的是「情節記憶」，後者是運用一些方法來幫自己記住事情。「提到『本能寺之變』，高中的歷史老師曾教我們用『本能寺之變是草莓內褲！』[2]這個口訣，來記住事件發生的年代。記得當時班上同學都被這個『把恐怖歷史事件變可愛』的記憶方式給逗笑了。沒錯，『草莓內褲』就是『一五八二年』。這位老師真是太有意思了。」

上述的例子即為「情節記憶」。

哪一種內容比較容易讓人記住呢？相信你心中應該有答案了吧！

1 審定註：雖然臺灣沒有類似 Twilog 的服務，不過推特逐年改版後，在瀏覽舊推文跟搜尋、進階搜尋等功能上，皆已無需藉助外部工具便能輕鬆瀏覽、搜尋舊推文。按網頁左邊的「個人資料」就能看到自己的舊推文或曾轉貼、回應的內容。於右上角搜尋框輸入關鍵字，可再點「進階搜尋」來篩選、過濾你要的資訊。另外對於喜歡的內容也可按愛心，之後在「個人資料」→「喜歡的內容」就能找到紀錄，也可另外製作成特定主題的列表（lists），現在的推特功能設計已非常完整好用。

2 譯註：「草莓內褲」的日文片假名寫成「イチゴパンツ」，發音近似於日文的「一五八二」。

「Twilog」具有能幫助我們把以前所讀過的文章，以「情節記憶」的方式給記下來的功能。不論是多麼模糊的記憶，只要使用「Twilog」，就能簡單地喚起已塵封多時的回憶。

我們可以把資訊儲存在「Pocket」、「筆記軟體」或「Twilog」等「網路空間」上。然後利用標籤、關鍵字以及模糊的記憶等來做搜尋，如此就能重新挖掘出過去自己所發表過的文章了。

會在社群網站上欺負別人的使用者們

最後，筆者想和大家分享一個使用社群網站應該要注意的地方。那就是**一定不要在社群網站上「誇耀、賣弄」**（マウンティング）。日語中的「マウンティング」一詞源自英文的「Mounting」，原意是指猴子或狗會從背後跨騎到同類身上，**以此來顯示自己的地位高於對方**的行為。

在人類社會，我們同樣也能看到許多喜歡「誇耀、賣弄」的人，尤其在社群網站上。這樣的人只要看到別人發文，就會說些「情況都這樣了，還有什麼好說的」、「你說的事情大家早就知道了」或「你所講的是不錯啦，但我手上的資訊比你的更好」這類的話，

用既損人又顯示自己高人一等的語言，讓人覺得不舒服。

我發現，會「誇耀、賣弄」的人有逐漸高齡化的現象。原因在於，年紀大的人在心中存有**「我的人生閱歷豐富，當然比年輕人有見識」**的想法。**因為心裡已經存在「年輕人都在鬼扯」的想法，所以年紀大的人才會做出「誇耀、賣弄」的行徑**。

由於在真實社會裡，一個人想在公開場合刻意說這種話，需要一定的勇氣，所以很少人會在現實生活中這麼做。

然而在社群網站上，發言的門檻變得幾乎不設限。使用者只要敲敲鍵盤、滑滑手機然後按下發送鍵，短短數十秒鐘，就可以用語言文字去攻擊別人。

在此我希望讀者們能夠想一想。

日常生活中，光是來自上司或職場上合作對象的「誇耀、賣弄」，就已經讓人很受不了了，難道**在社群網站上，被一個素未謀面也一無所知的人如此對待後，還有人能保持好心情嗎？**

我認為應該不會有人在接受了這樣的言語攻擊後，還能說出「感謝您提供寶貴的指

教」，來感謝對方如此對待自己的吧？

儘管不能完全否定存在這種人的機率，但我相信絕大多數的人，**應該對社群網站上那些言語尖酸刻薄的人，都感到相當地厭惡**。

因為在「用語言攻擊別人的人」和「被攻擊的人」之間，幾乎不可能存在良好關係。

所以，大家還是不要在社群網站上「誇耀、賣弄」比較好。

我們應該常懷善意和感謝，用平等的態度來發表個人言論或回覆他人。

若能做到這件事，不但能幫自己增加「好人」跟隨者的數量，也能讓社群網站的空間裡少一點煙硝味。

第5章

要讀「什麼」書，又該「怎麼」讀？

——找書、挑書、具體閱讀法、閱讀名著訣竅，電子書和實體書店之活用

書本的意義和目的

讀「書」的理由

本書到上一章為止，已經和大家完整介紹了，蒐集網路媒體和部落格上文章，以及該如何閱讀的方法了。

或許有讀者會訝異：「那還需要向我們介紹書嗎？」

我認為，**資訊有兩個組成部分**，一個是網路媒體，另一個是書本。無論網路媒體或書本都很重要，缺一不可。要想在這個複雜萬端的社會生存下去，兩方面的資訊都需要攝取。

那麼，書本存在的意義是什麼呢？

簡單地用一句話來說明，就是**「能把資訊集中且全面地蒐集起來」**。

換句話說，書本能幫助我們**「更容易地掌握有關某個主題的整體輪廓」**。

一個人如果只是閱讀網路上的文章，很難獲得「多元的視角」。

超過五千字的網路文章，很難讓人讀下去

「文章長度」是網路文章一定會面臨的問題。

網路上的文章短則一千字，再怎麼長也會在三千字以內結束。

若想在自己的部落格裡發表長篇大論，絕不會有編輯要你刪減文字內容，但一篇網路上的文章若超過了五千字，只會讓人覺得「難以閱讀」。

然而，當我們想要針對某個主題，從過去歷史的發展脈絡開始談起時，勢必會增加文章的長度。例如：要想在一篇網路文章裡分析中日關係，勢必得論及儒教以及蒙古帝國，如此一來文章的字數就會輕易地超越五千字的門檻。

從這裡我們就能知道，**書本在收納龐大資訊這件事情上有其意義**。

要說明儒教在中國的歷史發展、日本對儒教的接受與吸納，以至於蒙古這類遊牧民族對世界史所帶來的影響等等，歷史時間跨度較長的內容時，沒有一本十萬字以上的書，是無法完成的。

一本好書能為讀者帶來「多元視角」

網路媒體上的文章受限於篇幅，只能談論一些範圍較小的事情，若想藉由閱讀這類文章來描繪出一個世界觀，是不太可能的。與之相對地，**書本在「認識一件事情的整體面貌」這方面，確實很大程度上，能夠扮演好最佳導覽員的角色**。

正如筆者在序章時所提到的，**要培養自己的「知肉」，得先從「多元視角」出發，藉由以不同的視角來對主題進行觀察，獲得對事情整體的認識**。為此，我們除了要橫向探索不同網路媒體上的內容，也要蒐集各種「多元視角」才行。

一本優秀的好書，就可以在限定的頁數之內，完成上述所有的事情。這是因為**一本好書的內容，已經為讀者們整理、囊括了「概要→觀點→整體」的全部流程**。

這樣的好書能對事情的「概要」進行說明，然後向讀者們介紹各種「多元觀點」，最後再把不同的觀點進行整合，讓大家看到一幅清晰的「整體像」。

以上這些都是能在一本書裡完成的事情。

因此**透過閱讀一本書，讀者們確實能夠掌握住，某個主題在當下這個時間點，所呈現出的整體面貌**。

不管學習或娛樂，都收進「有義意的書」裡

這裡我想再和大家分享另一個，我們之所以要讀「書」的目的。

首先我想問大家，你們是「為了什麼目的」去看書的呢？是為了學習新知、提高個人涵養，還是只為了娛樂自己呢？

其實我個人認為，根本「沒有必要」去劃分讀書的目的。讀書這件事說穿了，就是「為了自己」，**讀者們無不是想藉由閱讀，來累積更多的知識、豐富情感以及思考能力**。

而要完成上述目的，絕不僅限於閱讀有點燒腦的哲學書、歷史書或有氣質的文學類書籍。**就算是閱讀推理小說或漫畫，只要自己覺得這是本「好書」，那麼這些書籍都能成為個人的累積。**

另外，書本並不是拿來「打發時間」的東西。

書本除了用於「學習」外還兼具「娛樂」的效果，能夠豐富我們的人生。

相信大家應該都有這樣的經驗吧——把書分成「這是學習用書」、「這是工作用書」之

後，有時會突然產生不想去讀、嫌麻煩的念頭。

用於娛樂或殺時間的書，我們隨時都能讀得下去，但若產生了「必須認真來看書才行」的念頭，心情就會立刻變得沉重起來。相信有不少讀者對小時候暑假作業裡的「讀書心得」這一項，仍然心有餘悸吧？

然而讀書絕不是一種強制行為。

話雖如此，生活中我們有時還是會遇到被「強迫」去讀書的時候，例如：需要去閱讀並記住與工作技能相關的書籍，或者專業作家們為了要撰寫刊登在媒體上的書評，而非得去讀書才行。

但除了上述這些屬於強迫讀書的例子外，我們沒有必要去「勉強」自己，而**應該讓讀書這件事更加自由**。

正如我最後在「結語」中會提到的，我認為比起「工作與生活的平衡」（Work Life Balance），「生活與工作的整合」（Work Life Integration）能讓我們過得更充實。

我們不必為了平衡而把書籍區分為「學習知識」或「娛樂」等不同類型，而應該是把「學習知識」或「娛樂」的書，全部整合在「對自己來說有意義的書」之下。只要在觀念上能做改變，那麼閱讀這件事將變得更加輕鬆自在。

購買電子書的九個優點

在前面的內容中，筆者已經和大家概括論述了讀書的意義和目的了。

在這一節裡，我要更為具體地來說明如何挑選書籍以及閱讀的方法。

首先要思考的是，在選購時**「應該買紙本書？還是電子書？」**這個問題。

在此我要表明一下個人立場，**我相當建議大家使用電子書**。理由很簡單，因為電子書的優點還真不少。

我列出了以下九種。

電子書的優點❶ 買書不受空間地點的限制

最近網路購物的送件速度越來越快了，生活在都會區裡的人，若在網路書店購買紙本書，通常隔天就能收到。

但無論物流送貨的速度變得再怎麼快，還是趕不上電子書**「購買後立刻就能開始閱讀」**

的特性。現在筆者只要遇到像「想請佐佐木先生幫忙調查一下」、「時間有點趕」、「希望能以最快的方式找出需要的資訊」這類情形時，通常就會在亞馬遜（Amazon）上只針對電子書來做搜尋。

亞馬遜的首頁上方有可以用來搜尋的搜索框，在畫面的左邊還有下拉選單，可以把搜索的對象在「書籍」（本）和「Kindle 商店」（Kindle ストア）之間切換。

如果是用「書籍」來做搜尋，使用者可以同時看到紙本書和電子書的搜尋結果，但若是用「Kindle 商店」來做搜尋的話，搜尋的範圍就只會限定在 Kindle 電子書了。

相信大家應該都有在旅行或出差的移動過程中，因處理工作而需要閱讀相關書籍的經驗吧！又或者，也不是為了應付什麼緊急的事，純粹只是在旅行當地產生了一種「想讀一本和現在感傷情緒相應的書」的想法。

近年來因為出版業不景氣，連帶影響到地方上書店的存續。日本過去那些在都市裡，有歷史和格調的書店，現在幾乎都已經歇業了。但好在**只要在網路能使用的地方，我們還是可以簡單地購買電子書來閱讀**。

電子書的優點 ❷ 可供試閱

在實體書店裡，我們可以隨意拿起選中的紙本書，在店裡站著讀上幾頁。

然而實體書店在近幾年裡，數量已大幅減少。

這樣的情形在大城市或許感受還不至於太強烈，但若去到地方上一看，就能親眼目睹書店業衰敗的現況。這導致不少人一想到買書，直覺地就是利用亞馬遜等網路購物網站。

但可惜的是，**有些購物網站上的紙本書無法提供試閱**。

和紙本書相比，Kindle 等電子書往往都**具有提供消費者試閱的功能**。

雖然能夠試閱的範圍到哪，每一間出版社各有不同的設定，但絕大多數的電子書，至少都能讓消費者在購買前，閱讀最初的十幾頁內容。

藉由使用電子書提供的試閱功能，消費者可以從試閱內容時**感受到的「氛圍」**，來決定這是不是一本自己所想要讀的書。儘管試閱範圍有一定的頁數限制，但已足夠讓讀者去領略**作者的個人「風格」**了。

這裡的「風格」指的是，作者在**文章中的行文特色以及組織內容的方式**。

舉例來說，文章是用有禮貌、柔和的筆觸；嚴肅、冷漠的文字；還是以接近「口語」的方式來寫作，就是「風格」的展現。另外，作者是重視文章邏輯推演：「A 是 B，然後 B 是 C。」或行文鬆散：「我覺得 A 和 B 很像，但不能排除與 C 的關聯，儘管如此，還是覺得哪裡怪怪的。」自我主張較強：「我認為如此。」「我是這麼想的。」或者用客觀角度看待事情，也都可稱之為「風格」。

每個人都可以藉由試閱來確認，自己的喜好和書籍作者的個性是否合拍。

不管是再怎麼有名的作品，只要讀者和書的「契合度」不足，就很難繼續讀下去。把時間花在這種書籍上，也只是浪費光陰而已。

另外，在面對翻譯類的書籍時，**試閱還是用來確認譯文好壞的一個重要手段**。雖然近年來譯文生硬又糟糕、讓人讀不下去的翻譯書籍已經不多見了，但是偶爾還是能在書市裡挑出幾本。

透過試閱譯文可以確認，自己是否能吸收這本翻譯書籍裡的內容。

電子書的優點 3 可輕鬆掌握議題的整體輪廓

網路上的文章有些太過專業，不適合一般讀者閱讀；有些則是內容過於片段，讓人難以掌握整體的輪廓。因此當我們想要針對自己不熟悉的主題做資料蒐集時，只靠閱讀網路上文章，很難建立起有關主題的整體概念。

遇到這種情形時，在大多數情況下**只要簡單地在網路上買幾本與主題相關的電子書來讀，就能在很短的時間內，掌握住一個主題的全貌**。

雖然購買電子書與閱讀網路上的免費文章相比，的確需要花點錢，但若能搭配 Kindle 每個月只要支付約二百一十五臺幣，就能讀到飽的定期付費方案「Kindle Unlimited」使用，某個程度上應該可以幫自己省下不少錢（但不是每本電子書都有參加這個方案）。

記得有一次，筆者想蒐集有關日本道路和橋梁等公共設施老化的相關資訊，當時我立刻就到 Kindle 上用了「公共設施 老化」來做搜尋。

結果找到了三十多本與這個主題相關的電子書，例如：

《荒廢中的日本：日本的公共設施該何去何從》（荒廃する日本）

《公共設施的老化以及財政危機：從日出之國到日落之國》（インフラの老朽化と財政危機）

《公共設施事故：笹子隧道只是老化問題的冰山一角》（インフラ事故）

這些書籍的內容，大多與日本公共設施老化所帶來的危險有關。

因為這類書籍在內容上大多差異不大，所以我從中選購了一、兩本讀者評價較高，又是近期出版的作品來讀。

在搜索的過程中，我還找到了一本從「科技應能在公共設施老化這件事上做點什麼？」這個有趣的觀點出發，名為**《二〇二五年出現的巨大市場：公共設施老化可以成為改變整個產業的契機》**（2025 年の巨大市場）的書。

『2025 年の巨大市場』
（二〇二五年出現的巨大市場）

此書是由《日經 Construction》（日経コンストラクション）這本專門報導公共建設的雜誌的記者們所共同執筆完成的作品。

書中的內容相當有意思，從其文章的標題「快速成長的維持管理市場」、「『新興企業』將成主角」、「送貨員守護著我們的街道」和「挑戰公共建設『臨終活動』」，大概就能感覺得到。

在我發現這本書的時候，網站上讀者的書評雖然僅有三篇，但內容無不對本書相當推崇，其中有人寫道：「本書除了以明確且具體的事例為基礎，講述公共設施老化及其所帶來的風險，還論及了處理這些問題所需的技術對應與可能性。」「是一本象徵時代的書。」於是我毫不猶豫就買下來讀了。

讀完這本書後，我對於「公共設施的老化」這個議題有了更全面也更深刻的認識。

電子書的優點 4 可以搜尋文章

電子書的另一個方便之處是**可以「搜尋文章」**，這是紙本書做不到的事情。

「在莎士比亞的文學作品中，『愛』這個字出現過幾次呢？」像這樣的問題如果在過去，光是算出次數就可以成為一個研究題目了。然而到了今天，我們只要使用 Kindle 的搜索功能，就能立刻完成這件事。可以說我們對於「知識」的掌握方法和過去相比，已有了長足的進步。

今天我們**在閱讀之前，可以用「關鍵字」來搜尋自己想知道的內容**。也能**在讀完一本書後，用搜尋功能進行內容的檢索**。

大家應該都有這樣的經驗吧？有時我們讀完一本書後過了好長一段時間，會在某個時間點突然想起：「對了，在某本書裡好像有提到這樣的事情。」

遇到這種情形時，如果去翻紙本書來找尋原出處，會相當地耗時費力，但如果是用電子書，幾分鐘就可以做到。

電子書的優點 5 可以複製貼上書裡的內容

紙本書籍無法複製貼上自己感興趣的部分，只能每次都用寫的記錄下來。但**電子書可以複製**。

使用 Kindle 閱讀電子書時，雖然無法直接進行複製貼上，但要做到這件事並不困難，筆者會在本書二四二頁再做詳細說明。

電子書的優點❻ 可以使用網路連結

電子書可以和其他的書籍或網頁，透過網址彼此連結在一起。讀者只需要用滑鼠或在平板上點一下出現在電子書中的網址，就能顯示內容。

這樣的功能對於要把資訊「體系化」[1]來說很方便。如果是紙本書，讀者就只能依據書末的參考文獻，用「手動」的方式來做整理了。

能夠藉由網址互相連結在一起的書籍，就像一張網路一樣。

相信大家都已經感受到，使用者能夠透過網路自由地在社群網站上串連起文章和影片，構築起一個巨大的世界。

電子書的優點❼ 可以放大文字來閱讀

對年近不惑，開始出現老花眼現象的人來說，**能用大文字來閱讀的電子書不啻是一大福音**，對高齡者來說更是如此。

雖然不少人對高齡者都有「這個族群不擅長使用電子產品」的印象，但筆者認為，**正**

因為是高齡者，才更應該閱讀電子書。

Kindle的閱讀器和平板上的文字若調到最大，可以呈現十二字×五行的超大字體，就算嚴重老花眼的人也能輕鬆閱讀。

電子書的優點❽ 閱讀較厚的書籍時，不會產生心理抗拒

一本厚厚的紙本書，通常令人望而生畏。

頁數很多的書重量都不輕，如果躺著讀會讓手很酸。就算真的躺著讀，也可能因不小心睡著了，導致書砸在臉上，存在使自己受傷的風險。

此外，當我們在閱讀厚厚的書籍時，很容易出現「怎麼還剩下這麼多頁啊……」這種好像完全沒有達成任何進度的挫折感。

換作是電子書，則沒有這樣的問題。因為不管書籍的頁數是多或少，閱讀器的重量都不會有所改變。

儘管閱讀紙本書和電子書所花的時間是相同的，但因為**電子書不存在實體書的紙頁，**

1 譯註：透過適當地將各個知識、情報、機制等相互關聯起來，創造一個有連貫性的大體系。

所以不會讓讀者有「還有好多頁要讀」的感覺。

而且電子書還能讓使用者針對「是否顯示目前已讀了多少」的比例或字數進行設定。

專欄

讓人「想要一直讀下去」的好書

世界上有很多好書，在這些優秀的作品中，有些會讓讀者產生「好想一直讀下去」的感覺。

例如村上春樹的小說就具有如「毒品」般會使人上癮的行文風格，讓許多村上粉讀再久依然欲罷不能。

就筆者個人的閱讀經驗來說，松家仁之的小說《在火山下》（火山のふもとで）是我讀過三遍，非常喜歡的一部作品。

這本小說描述一群在一九八〇年代，任職於東京和長野縣輕井澤，兩地都擁有事務所的建築師們的故事。我認為比起故事情節，小說中那座輕井澤山莊的描述，以及對建築師們工作內容的敘述，既注意細節，文字也相當優美，讓我愛不釋手。

這本長篇小說的實體書雖然接近四百頁，但我的閱讀經驗相當愉快，能夠完全沉浸在小說的世界裡。

『火山のふもとで』
（在火山下）

讀者可以藉由設定，讓電子書閱讀器不要顯示出頁數，這樣自己就不知道現在已經讀到哪裡。在這種情況下，埋頭閱讀喜歡的小說，我覺得是一件挺幸福的事情。

上述這種讀小說的方法，可以說是只有電子書才能提供的閱讀體驗。

電子書的優點 9 不需要放書空間，閱讀器不見了也沒關係

一旦一個人愛上閱讀，**家裡的書就會不斷增加**。甚至讓人懷疑，這些書是不是在我們睡著時，自動進行增生了。

書的數量變多後首先會占滿書架，若書架的空間也不夠用了，人們就會開始見縫插「書」，或是把書本堆放在其他室內空間，於是乎家裡能看見地板的地方也越來越少。

然而家中藏書如果太多，搬家時就準備吃苦頭了。尤其像當今這種災害頻仍的時代，書本過多是相當危險的事。

事實上在東日本大震災發生的同一年，長野縣松本市也遭逢了一場震度五的強震。地震發生時該市一名四十四歲的男性，因被家裡的藏書壓住而過世。

假使遭逢因颱風而起的水災，書本在浸泡過水後不但重量會變重，也無法恢復原狀，要將之當成廢棄物來處理，更是一件折磨人的體力活。

但若是電子書，書架就不會被塞滿了；不用擔心發生地震時，自己會被書給「活埋」；遭遇水災時，更不會產生大量需要事後處置的垃圾。

電子書的資料全部儲存在雲端硬碟裡，就算讀者們的平板、閱讀器故障或忘記放在哪裡，只要取得一臺新的平板或閱讀器來使用，立刻就能繼續閱讀自己已經購買的電子書了。

電子書難閱讀？其實只是習慣問題

相信從上述的內容你已經可以了解到，電子書擁有的諸多優點了。

這也是為何我會強烈建議閱讀電子書。

或許讀者之中有人會認為「電子書不太好閱讀」，但我認為這**完全只是「習不習慣」的問題**。

閱讀電子書有兩種方式。

一種是使用像 iPad 這種液晶畫面的平板來閱讀；另一種是使用「電子紙」這種以黑白畫面形式來呈現文字的閱讀器來閱讀。

電子紙和液晶螢幕相比，優點除了省電效果卓越之外，就算長時間閱讀，也不會讓人有像盯著液晶螢幕看那種刺眼的感覺。

另外像亞馬遜的「Kindle Paperwhite」這種普及版閱讀器，在關掉電源的情況下電力可以維持一個月以上。若在不開背光的狀況下每天閱讀一小時，電力也能維持三週左右。

總結來說，**我認為書籍若有電子書和實體書兩種版本時，大家應該買電子書來讀**，而不用刻意買實體的紙本書。

更何況在大多數情況下，**電子書的價格都比紙本書便宜，可以省荷包**。

確實，電子書只是數位資料（Digital Data），不會讓人產生「坐擁書城」的感覺，然而若從「讀書」的主要目的在於提高個人「知性」來看，書本也不應該只是擺起來讓自己賞心悅目的東西才是。

紙本書的購買和保存方式

哪些書要買紙本？

這一節來談一下，我什麼時候會買紙本書。

會讓我購買紙本的書籍，首先必須是「只出版紙本書的書」。

雖然這是句廢話，但事實也的確如此。

目前在日本，像講談社、文藝春秋、新潮社或東洋經濟新報社等大型出版社所出版的新書，幾乎都會同時推出電子版。實體書和電子書同時發售的情形越來越普遍。但對於中小型的出版社來說，因為缺乏製作電子書的經費，所以大部分還是只出版紙本的新書。

另外，出版年分較早的書，由於沒有電子書，當然也只能買紙本書。

對我來說，如果在處理一個重要又龐大的議題時，遇到「不讀某本紙本書，就很難繼續進行下去」的情況，我便會毫不猶豫地購買紙本書來讀。

然而有時讓我感到困擾的是，這類書籍有些是很少在市面上流通的珍本。這種書的價格從數百到二、三千不等，有時甚至會貴到令人咋舌的地步。

儘管如此，只要對自己來說是不可或缺的資料，我還是會咬牙買下來。

由於在網路上購買的紙本書無法試閱，所以我有時也會踢到鐵板，覺得：「天啊，我怎麼會花一千多塊買這本書呢！」遇到這種情況時，也只能當作是繳學費了。

畢竟，**買書是對自己的投資。**

因此就算偶爾「投資失敗」，我們還是要有為此投入金錢和時間的決心才行。

紙本書的保管方法

接著我想和大家分享一下，自己在應付困擾許多愛書人的「該如何保管紙本書」這個問題時，所採取的作法。

就像我在前文中提過的，紙本書只要放著不管，就會開始「增生」。

儘管有些愛書人的確會對家中汗牛充棟的藏書量感到自豪，但只要一遇到搬家，這些書就會變成甜蜜的負荷。另外紙本書在自然災害侵襲時，也可能成為傷人的凶器。

話雖如此，有些書因為沒有電子版可以選擇，也只能閱讀紙本書。而且我在後文中還會提到，如何到有「書架脈絡」的好書店購書。

看來紙本書的數量只會不斷增加而已。那麼，這些紙本書該怎麼保管才好呢？

絕對要守住和自己約定好的「冊數上限」

說實話，過去筆者也曾放任家中書本數量增生。

而書本數量不斷增加的結果，就是在一個只有六張榻榻米[2]大小的房間裡，塞進了好幾個擺滿書的書架，宛如一個書庫，也像一個迷宮。

但這是我還住在一個室內空間寬敞的房子裡的往事了。

二〇一〇年代中期左右，我不再定居於東京，而是在東京、長野和福井分別租了一間房子，開始嘗試在三地之間移動的生活。

趁著這個機會，我把原本在東京居住的雙層公寓，換成了舒適的小公寓。但如此一來，也就不再有「書籍的專用房間」了。

為此，**我準備了五個，剛好可以放進面積約為八個榻榻米**[3]**大小的工作房裡的書架**。這五個書架，每個都能擺上約四百本書。因此五個書架合起來，總共約可收納二千本書。**我把「二千」當作「絕對防衛圈」來嚴防死守，絕不讓自己房裡的書籍數量超過這個數字。**

超過「冊數上限」，就要「書籍盤點」

當然，我還是會到實體書店買書，也會收到來自出版社或作者的贈書，因為上述的書籍都不是電子書，所以我手頭上的紙本書數量仍在不斷地增加。

紙本書的數量超過二千本後該怎麼辦呢？我會在**每個月的月底，進行「書籍盤點」**來解決這個問題。

假設筆者每個月都會購買十五本紙本書。

2 編註：日本的房間面積算法，六張約莫三坪多。
3 編註：換算坪數將近四坪。

那麼這十五本書就會超出我所設定的「二千本絕對防衛圈」。

此時**我會把新買的書和已經擺在書架上的書，仔細地做一番比較，最後在依依不捨、眼泛淚光的情況下，挑選出「處理掉也沒關係的書」**。

等決定好是哪十五本書要處理掉之後，我就會橫下心來，把它們裝進紙箱裡，送到專門收購二手書的「BOOKOFF」（ブックオフ）[4]賣掉。[5]

到了這一步，**我心中就不會再對要處理掉的書，出現「如果之後需要用到這本書該怎麼辦」或「日後可能會想重讀一次」的依戀之情了**。

別讓「沒讀過的紙本書」繼續增加

除上述方法外，不讓「還沒讀過的紙本書」數量繼續增加，也很重要。

日語中有「積讀」（積ん読）一詞，意指有些人會把書買回家「囤積」起來，卻不去閱讀。我認為這不過是一種「自我滿足」的行為而已。買了書卻不讀，不只沒有意義，還很浪費錢。不僅如此，尚未讀過的書如果不斷累積，還會讓人失去想要閱讀的心情。

在我看來，**一個人手邊還沒讀過的書就算再怎麼多，也應該盡量控制在十本上下，亦**

即全部攤開剛好是一眼可以望盡所有書籍封面的本數。

有時我們會擔心只有紙本書的書籍，可能遭遇「賣完」或「絕版」的情形。繼而產生「如果不買下眼前這本書，要是日後該書不在市場上流通或絕版了，就很難再入手」的恐懼。於是咬緊牙關，不管三七二十一，就先買了下來。於是導致了尚未閱讀的書籍不斷累積的情況發生。

若換作是電子書的話，就不用擔心會有「賣完」的情況。

雖說電子書也不是沒有絕版的可能，但因為電子書並不需要用到實體的倉儲空間，**銷售時，不會造成出版社的庫存負擔，因此基本上較少發生絕版的情形**。

當你下次再遇到「這本書之後可能會想讀，但現在自己手頭上仍有許多還沒讀的書」這種情況時，請不要衝動購書，而是把想買的書先放在線上書店的「下次再買」或「心願清單」裡。等到「還沒讀的書」有空缺的時候，再去購買也不遲。

4　譯註：日本最大的二手書店連鎖店。
5　審定註：在臺灣，二手書可於 TAAZE 讀冊生活（https://www.taaze.tw/）整批賣掉，或在蝦皮（https://shopee.tw/）開個人賣場，一本一本賣。

專欄

電子書的保管方法

對了，不知道你都是怎麼管理電子書籍的呢？

因為筆者購買的電子書大部分都保存在雲端硬碟上，所以基本上不存在「容量」這樣的概念。

這裡要請大家注意一下，當我們說自己「購買電子書」的時候，會使用「買」這個字。然而實際上，**我們其實並沒有真的「買」，而只是「獲得了閱讀電子書的權利」而已**。這是因為電子書並不像紙本書那樣有一個實體。

因此要是販售電子書的平臺破產或停止提供服務，讀者的「讀書權」也就沒有了。由於我們手上的平板和雲端硬碟是同步的，所以要是雲端的「讀書權」沒了，平板上的電子書也會隨之無法閱讀。

看到上述內容，不知道大家有沒有嚇一跳呢？像這樣的事情，實際上確實已經發生過好幾次，並引起不小的風波。

有人會問：「那該怎麼做，才能不讓自己碰到這種倒楣事呢？」其中一個方法是，選擇從看起來應該不會破產或停止服務的大型平臺上購買電子書。

符合這樣條件的平臺，亞馬遜的「Kindle」當然是首選。

Kindle在全球擁有相當龐大的使用者群，而它的經營公司亞馬遜又是一間規模超大的企業。老闆貝佐斯（Jeff Bezos）更是經常和比爾蓋茲爭奪「世界首富」寶座的人。**雖然不能斷言Kindle就一定不會發生使用者無法閱讀電子書的事情，但我相信這種事情發生的機率應該趨近於零。**

另外，儘管我們在Kindle購買的電子書可以全部存放在雲端裡，但Kindle閱讀器或平板的儲存空間卻是有限的。

一個擁有幾萬本電子書的人，要想把全部電子書下載到閱讀器上，應該是做不到的。但其實我們只需要從雲端把自己需要用到的電子書，下載到閱讀器或平板上就夠了。

我的做法是，**只會把還沒讀的電子書下載下來，等到讀完之後立刻將檔案從平板上刪除。**如此一來，**我在平板上的電子書APP裡存放的，就只有「還沒閱讀」的書而已（有點像前面提到的「積讀」），這樣還能讓自己立刻知道要讀什麼。**

實體書店的活用方式

實體書店的「價值」

我在前文中有提過，紙本書還是具有電子書所不具備的價值的。

但若要說得更精確些，應該是**「書店的價值」**比紙本書的價值更高。

當我們在逛實體書店時會看到被陳列起來的書籍封面，其實光只是這樣，就相當值回票價了。

就我自己來說，有關書本的資訊，大部分都是從網路上得到的。平常追蹤的部落格、推特或臉書帳號，是我獲得資訊的主要來源。

但日本每天發行的書籍數量多如牛毛，光是一年就高達七萬件以上。因此只靠網路上的資訊，是遠遠不夠的。

當然，要想一網打盡所有的新書資訊是不可能做到的事（因為每一天在日本，就有上百本新書出版！）儘管如此，我還是希望能盡量開拓自己的視野，不遺漏掉任何一本好書。

這時，去**「逛書店」**就是最好的選擇。

「容易找到好書」的書店

「容易找到好書的書店」是我最喜歡的書店類型。

這裡要請你在腦海中回想一下「普通書店」的樣子。

書店是不是會把暢銷新書擺在最顯眼的地方，然後其他的書籍則按照類型或作者名稱的順序來做陳列呢？

我想說，在這種「普通書店」裡，讀者很難找到好書。

因為放在暢銷排行榜上的書，每一家書店都一樣。而有不少好書，則被隱沒在按照類型或作者名稱來排列的書籍之中。

不要懷疑，很多時候**好書都「躲起來了」**。

雖然不能否認，暢銷書裡也有佳作。

但**不論是什麼書，與讀者之間無不存在「適不適合」與「契合度」的差異**。

就算是再怎麼暢銷或知名的書籍，只要和自己不合拍，那麼就算去讀了，恐怕也記不住書中的內容。反之，在不是暢銷書的冷門書籍之中，一定也存在與自己契合度極佳的書。藉由閱讀這類作品，會讓人產生「這本書的內容真的是太棒了！」這樣的感動。

在筆者個人的人生經驗中，良好的閱讀經驗大多來自於後者。

由於暢銷書屬於能讓大部分人都可以愉快地讀下去的「最大公因數」類書籍，所以比較難在讀者心中留下深刻的印象。

這就好像，與在黃金時段播出的新聞談話性節目相比，於深夜時段播出，屬於「內行人」才知道的專業程度較高的節目，通常在內容上會比前者更有意思，還能讓閱聽人有所收穫，這可說是同一個道理。

店員的「眼光」，可以讓書架展現不同「氣勢」

然而就像要找出有意思的深夜節目其實並不簡單一樣，要想在書店的書架上發現藏身於其中的好書也非易事。因為這和**書店員挑選書籍的「眼光」**，有著高度的關聯性。

這和一間書店是大型書店，或者小型的個人經營書店都沒有關係。

憑藉著在書店裡服務的店員們，個人對於書籍品鑑能力的不同，能讓書架呈現出截然不同的「氣勢」。

當我們走進一間店員擁有高度品鑑能力的書店時，雖然未必會看到暢銷書或新書的專區，但卻可以在書架上，發現那些正在等待知音、內容深刻的好書。

不知道各位讀者是否認識「Serendipity」[6]這個英文單字呢？

這個字所表達的意思是——一個人雖然沒有得到原本自己所期待的東西，但卻幸運地收獲了其他的東西，有點像日語中「偶然力」的味道。

「Serendipity」的原出處來自《錫蘭三王子歷險記》（*The Three Princes of Serendip*）這本童話故事中。

這個童話故事的內容大致如下：古代斯里蘭卡有一個名為錫蘭的王國。王國的三名王子為了找出記載了鎮壓惡龍方法的捲軸，分別踏上從印度到波斯的旅程。雖然最後王子們都沒能找到捲軸，但他們三人卻在旅途中，經歷了不同的幸運事，最後故事以喜劇結束。

獲得和本來所預期完全不同的發現或幸運，這種「奇緣」就是「Serendipity」。

6　譯註：「Serendipity」在中文裡有多種翻譯，如「偶然的幸運」、「奇緣」、「意外發現」等。

『セレンディピティ物語―幸せを招ぶ三人の王子』
（錫蘭三王子歷險記）

我覺得，我們到書店去走一趟，其實就像錫蘭國的王子們踏上自己的旅程一樣。

找出專屬的「充滿奇緣的書店」

綜合上述內容，**我期待讀者們都能去找出，最對自己味的「充滿奇緣的書店」**。

正如我在前文中提到，書和讀者之間存在著「契合度」。

因此，書店會挑選哪些書籍放在店裡販售，也會讓讀者和書店之間產生契不契合的感覺。要知道，這個世界上，絕不可能存在與所有人都合拍的「充滿奇緣的書店」。

正因如此，我們才需要**自己去主動尋找**。

專欄

我的「充滿奇緣的書店」

因為我住在東京，因此這裡就以東京的書店為例來做說明。大型書店中，澀谷的「青山 Book Center 本店」（青山ブックセンター本店）以及池袋的「醇久堂書

店池袋本店」，另外還有神田神保町的「三省堂書店神保町本店」，對我來說都是「充滿奇緣的書店」。

與大型書店相比，小型書店中有更多充滿魅力的書店。

例如：西荻窪的「Nomad Books」（旅の本屋のまど）書店裡，就有許多與旅行相關的書籍，讓我不論去幾次也不會膩。

其他像是由《生活手帖》（暮しの手帖）的前總編松浦彌太郎所設計，位於中目黑的「COW BOOKS」書店、位於下北澤，可以喝啤酒的「本屋 B&B」書店、位於神樂坂的「海鷗書店」（かもめブックス）、位於奧澀谷的「SPBS」（SHIBUYA PUBLISHING & BOOKSELLERS），實在太多了，族繁不及備載啊！

好書店可以看到「書架的脈絡」

撇開筆者個人的興趣不說，「好書店」或「充滿奇緣的書店」，究竟和一般普通的書店有什麼不同呢？

兩者之間的不同之處就在於，是否有**「書架的脈絡」**。

「書架的脈絡」是位在千駄木，我非常喜歡的**「往來堂書店」**所標榜的一個著名詞彙。

什麼是「書架的脈絡」呢？這裡就以「養貓的方法」這種實用類書籍為例，來做個說明。不知道你覺得，在「養貓的方法」這類書籍旁邊，應該放什麼樣的書呢？

如果是陳列實用書的書架，在「養貓的方法」旁邊，一般會擺上「養狗的方式」或「養熱帶魚的方式」等書籍。

但請大家想想，因為想要養貓而到書店去找「養貓的方法」這類書籍來讀的人，會對「養狗的方式」或「養熱帶魚的方式」也感興趣嗎？我個人很難想像，會有下定決心要同時飼養貓、狗和熱帶魚的人存在。

會想養貓的人，基本上應該都是喜歡貓的人士。

因此在「養貓的方法」旁邊，陳列些「與貓相關」的不同類型書籍，而非與狗或熱帶魚有關的書，可能會是比較理想的做法。

話雖如此，如果書店員只是把不同出版社所推出的「任何人都會養貓」或「養貓入門」等書擺在一起的話，那也太沒有意思了。

畢竟買好幾本入門書來讀也沒有什麼意義。這時還不如透過店員的「慧眼」，做個宣傳小立牌來幫讀者們推薦一本「想學會養貓，這本書不容錯過」的書會更好。

那麼，怎麼樣才能打造出「書架的脈絡」呢？

一種方法是，**在「養貓的方法」旁，擺上像是有關貓的隨筆或小說作品**。具體做法是，在「養貓的方法」旁，擺上可以享受「貓的感覺」、讓讀者能沉浸在「貓世界」裡的出版品。

例如像《諾拉啊》或《海邊的卡夫卡》等，都是「貓文學」中的名作。另外日本還有像《貓看著》這類貓小說的選集喔。

按此邏輯，就能創造出「書架的脈絡」了。

我認為所謂的好書店，就是會重視並精心打造「書架的脈絡」的書店。一個對於挑選書籍獨具慧眼的書店員，一旦擁有了屬於自己原創或有趣的「脈絡」後，就能替讀者們挖掘出更多有意思的好書。

如此一來，還能創造出更多令人感到驚喜的「意外發現」（Serendipity）。

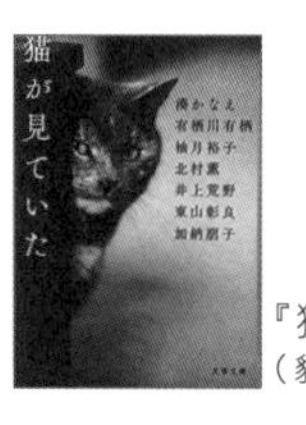

『猫が見ていた』
（貓看著）

『海辺のカフカ』
（海邊的卡夫卡）

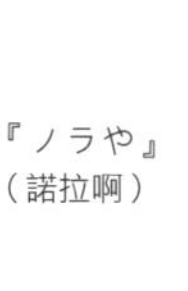
『ノラや』
（諾拉啊）

挑書方法 4

活用介紹書本的網路文章

話說，如果只把「能找到好書的地方」限定在實體書店，不算是一個好方法。隨著實體書店一間一間關門，大部分的人都改為在網路上閱讀有關出版的相關資訊，然後當發現看起來不錯的書時，便在線上付費購買。

現在，有關書籍的資訊，在網路上唾手可得。不論在網路媒體、個人部落格、推特或臉書上，都能找得到。

接著筆者就來分享幾個，自己在網路上找到好書的方法。

用網路找好書的方法 ❶

出版社的網站

首先，各大型出版社，都有經營自己的網路媒體。在這些網站上，出版社們會介紹自家出版的新書。

在這類介紹新書的文章中，不會只有用於宣傳的文字而已，因為在如今這個網路廣告泛濫的時代，塞滿了宣傳文樣的廣告，根本無法輕易獲得讀者的青睞。

因此各家出版社無不在介紹自家的新書時，盡量想方設法各顯神通。

例如：有的網站上會刊登與作家的訪談，讓作者自己向讀者們娓娓道來，他所寫的新書看點在哪。有時這類訪談也會去採訪作家以外的名人或學者，請他們來談談新書的魅力。另外，網站還會放上解說新書出版的背景等這類文章。

上述提到的文章中，有不少都內容有趣，極富可讀性。我經常是在**讀完這些刊登在出版社網站上的文章後，「順帶」把書給買下來的**。

用網路找好書的方法❷ 讀書專門網站

「讀書專門網站」也是能提供資訊的重要來源。

例如「HONZ」就是一個排除了小說等文學類書籍，專門介紹商業、科學和歷史等非小說類書籍的網路媒體。

而「**你一定正在閱讀，我所不知道的好書**」（わたしが知らないスゴ本は、きっとあなたが読んでいる）裡，雖然介紹的都是有點「硬」的人文學科書籍，但由於文字敘事方法高明又有趣，非常引人入勝。

最後要介紹的是**「讀書猿」**（読書猿）這個個人經營的部落格。該部落格因在日本推出了暢銷書**《獨學大全》**（独学大全）而為人所知。其部落格裡的文字充滿對事物哲學式的深入思考，令人印象深刻。

用網路找好書的方法③ 高熱度的一般網站

除了前述「大型出版社網站」和「讀書專門網站」外，其實還有其他地方，可以找到有關好書的資訊。

事實上，**一些「社群網站上的普通人」或「只是寫些個人日常生活瑣事的部落格」裡，也經常會介紹令人眼界大開的好書，而且數量遠遠超過前兩者**。

其實這也沒什麼好吃驚的，因為**會使用社群網站或經營部落格的「普通人」，在數量上本來就比專業媒體來得多**。

這些普通人的閱讀和資訊蒐集能力，以個體來說或許比不上專家或知名的部落格經營者，但因為數量夠多，所以我們自然能從中挑出精華來。

『独学大全』
（獨學大全）

然而，或許有不少人心裡會想：「我們要怎麼去判斷一般人所介紹的書，內容有沒有意思呢？」

這裡筆者提供一個雖然不一定每次都正確，但可做為判準的方法。

那就是，**相信文章作者的「熱度」**。

帶著極高熱情來介紹一本書的文章，通常都能打動讀者。我們也能從文章的字裡行間，感受到作者對自己所介紹的書，發自內心的讚賞。

當然，因為每個人喜歡的閱讀類型都不一樣，對行文風格和文字表現的喜好也是千差萬別，所以無法保證即使閱讀同一本書，不同的讀者是否可以得到相同的感受。但就算是這樣，**別人熱情推薦的書還是有去試讀一下的價值**。

事實上，在筆者擁有的書裡，有不少都是在讀過發表於推特和臉書上「充滿熱情的介紹文」之後，才購買的。

網路上，不同的人所介紹的書籍，在類型上當然也不會一樣。既有商業類書籍也有哲學著作；從一般小說到輕小說，不一而足。但在日本，數量最多的還是漫畫莫屬。

在日本國內，由於每個月都有數量驚人的漫畫問世，所以對這個領域不熟悉的人，一般不容易涉及漫畫介紹這一塊。

雖然我對漫畫這方面是個大外行，但有不少次因為讀了推特上熱情洋溢的介紹文（「這本漫畫真的很精采喔！」）之後，買了文章作者所推薦的漫畫來讀的經驗，而且大部分的結果都沒讓我失望。

另外請大家可別忘了，**電子書是有提供試閱的**！

雖然每本電子書的設定不同，但都有從數頁到數十頁不等可試閱的部分。

因此在真正付費買書之前，可以藉由試閱了解**「該書的文體、文字表現和敘事方法是不是自己喜歡的類型」**以及**「自己是否能愉快地閱讀這本書」**。

完成了這項前置作業後再買書，就能大幅降低買到「不符合個人預期」書籍的機會了。

這是我親身實踐過的方法，所以才敢介紹給你。

挑書方法 5

如何挑選現在應該讀的書呢？

在這一節裡，我想就「如何挑選對自己來說，現在應該讀的書」這個議題，來和你做更深入且具體的分享。

挑選現在該讀的書 ❶ 看看書和自己是否契合

世界上雖然有不少被稱為「名著」的書，但這些書**並非對每個人來說，都具有名著的意義**。

這就像一個人不論才華多麼出眾，也不可能和每個人都合得來。**書和人一樣，都具有自己的「人格」。所以對每個人來說，肯定有與自己「合得來」或「合不來」的書存在。**

就拿筆者自己來說，我因為對日本昭和時代大作家．三島由紀夫的思想非常感興趣，過去曾經好幾度試著去閱讀他的作品。

然而在我實際去閱讀三島的小說後，卻發現自己實在無法繼續讀下去。

雖然這麼說對三島的粉絲有點不好意思，但我真的很難保持愉快的心情，閱讀三島用其獨特的行文風格所寫的文章，可以說**已達到一種生理上的抗拒了**。

挑選現在該讀的書❷ 認識自己的閱讀能力到什麼程度

很多時候，當一個人有「這本書不適合現在的自己」這種感覺時，通常都和**個人的閱讀能力無法跟上這本書**有關。

舉個簡單的例子，拿一本有關數學研究最尖端的書，給一個在高中時代對數學既不感興趣，也不曾好好學習過數學的人讀，他可能連一句話都看不懂。

把數學書換成關於電腦人工智慧的書，結果可能也是一樣的。

人工智慧近年的發展，與機器學習（Machine Learning）和深度學習（Deep Learning）脫離不了關係，而這兩種學習方式的本質都是數學。翻開這個領域的入門書來看會發現，裡頭寫了滿滿的公式。

對一個數學程度只到中學的讀者來說，這樣的書應該很難讀得懂吧？

另外，在有關當代思潮的書裡，我們也會看到像「脫離連接」（Out Of Joint）、「解構主義」（Deconstructionism）或「生命權力」（Bio-Pouvoir）等，讓人有看沒有懂的詞彙。

若硬著頭皮去讀與自己「契合度」和「閱讀能力」差異過大的書，不只無法理解其中的內容，更是在浪費時間。

人的一生很短暫，等著你去讀的好書還有很多。

就像把時間花在與自己八字不合的人身上，只是浪費生命一樣。懂得如何做出合理的取捨判斷，對我們來說相當重要。

而且書畢竟不是人，就算我們與它合不來，書也不會對人懷恨在心。

挑選現在該讀的書③ 先試讀前三十頁內容

對一本書要認識到什麼程度，才足以做出該書適不適合自己，或自身是否具備閱讀該書之能力的判斷呢？

如果僅透過書名或簡短的書籍介紹文，確實不太容易做出判斷。

個人的經驗是，還是得透過實際的閱讀，才會知道「這本書適不適合」。

我曾經歷過好幾次，在稍微翻閱了書名看起來讓人敬而遠之的書之後，卻發現閱讀的過程非常流暢，最後竟然一口氣讀完該書的經驗。

基於這樣的經驗，我建議大家在面對一本新書時，**「首先請試讀前三十頁的內容」**。

以 Kindle 的電子書來說，它提供能讓消費者在實際付費購書之前，試讀一本書前十多頁內容的服務。

善用電子書提供的試閱功能，可幫助認識某本書適不適合自己，或自己是否已具備了閱讀某書的能力。

如此一來，你也就不用擔心，會不會花錢卻買錯了書。

其實「契合度」和「閱讀能力」之所以會成為人們閱讀某本書時的障礙，原因不在書裡頭的故事或世界觀，而和作者所使用的**文體**、**表達方式**、**語氣**、**遣詞用字**有關。

例如我們經常可以見到，原本以英文寫成的原文書內容很棒，相當適合一讀，但讀者卻被糟糕的譯文或呆板的文體，搞得喪失讀下去的興致。

日本昭和時代的翻譯作品，可說是這類糟糕譯文的重災區。

筆者在後文中會提到，我高中時曾有想要挑戰閱讀杜斯妥也夫斯基的《罪與罰》，最後卻失敗的經驗。現在回想起來，和翻譯的品質欠佳不無關係。

挑選現在該讀的書④ 發現「不適合自己」或「很難繼續讀」，就放棄吧

在讀完一本書的前三十頁後，如果你覺得這本書「不適合自己」或「很難繼續讀下去」，那麼就請趕緊放棄吧！

撇開一些導入部分很長的長篇小說不論，如果一本書前三十頁的內容都已經讓你覺得不太對味、很難讀下去了，那麼恐怕很難期待，繼續堅持下去的情況會有所改善。

硬著頭皮去讀那些與個人極度不契合，或自己根本還不具備閱讀該書能力的書，只是在浪費寶貴的光陰而已。

以上是從我個人經驗所得出的結論。

挑選現在該讀的書⑤ 去讀「現在讀起來，讓自己開心的書」

世上所有的書，一定都有其可取之處。

因此，**如果你覺得閱讀內容艱深的書很吃力，那麼去讀簡單一點的書也無妨**。

舉例來說，當一個人想親炙德國哲學，不用一開始就急著去挑戰經典作品，從入門書

讀起也是不錯的選擇。而且仔細找找，說不定還能發現有漫畫版的入門書呢！

其實我覺得，就算不閱讀哲學類的書籍，也能學習到哲學的內容。

近年在日本的漫畫之中，出現不少故事精彩又有深度，還兼具獨特世界觀的作品。例如二〇二〇年時，在日本社會掀起旋風的**《鬼滅之刃》**（鬼滅の刃）中，就描述了一群無法以「人」的方式活在世上，只能以「鬼」型態生存的人們的悲哀。

另外，當人們在閱讀連載時間長達十二年之久才完結的**《進擊的巨人》**（進撃の巨人）時，也能從故事中吸收許多，出現在杜斯妥也夫斯基文學作品中的思想。

上述這兩部作品，都為讀者們描繪出了一幅屬於二十一世紀的新世界觀，很值得大家一讀。

以下的言論或許有點偏激，但筆者還是認為，與其閱讀受到高齡評審委員們青睞，但價值觀保守的芥川賞純文學小說；**還不如去看這個時代的人氣漫畫**。**我相信後者在內容中所呈現出來的人生哲學，一定遠勝於前者。**

讀書如果不能讓自己感到愉悅，就沒有意思了。

一個人若無法保持愉快的心情來閱讀，很難記住書本裡的內容。

唯有享受閱讀，我們才能把讀到的知識化為自己的「血肉」。不，因為書本裡充滿了

「知識」，所以稱為「知肉」更為恰當。

勉強自己去讀內容艱澀、無趣又無聊的書，不但無法消化書中的文字，還很浪費時間。

話雖如此，**還是有好方法，能幫助我們來和「不適合自己」的書打交道**。與之相關的內容，留待二四七頁會再做說明。

閱讀一本書的具體方式

接著筆者要來介紹，在正式開始讀一本書時，有哪些具體可行的閱讀方式。

書籍閱讀方式❶ 閱讀重要文章時，使用便利貼或螢光標示

我在前文中有提到，在看過了前三十頁的內容後，若自己覺得該書「讀得下去，且還滿有意思的」，接著就可以正式來閱讀了。

閱讀一本好書，其實就是在幫自己長「知肉」。

在閱讀一本書的過程中，我們應該隨時把**「這本書要如何才能成為自己的知肉呢？」**這個想法放在心上。

然而在尚未養成這個習慣前，一般人很難在閱讀過程中意識到這件事。

因此**當你開始閱讀自己感興趣的文章，首先要做的就是標記出文章裡的重點**。

如果是紙本書，你可以在重點處貼上便利貼；若是電子書，則可以使用螢光標示文字

的功能。

筆者自己的工作桌上，隨時都備有小型的便利貼。因工作需要在外面移動時，我也會隨身攜帶一個裡頭有便利貼的小包包（這個包包裡還有我的名片盒、信用卡、行動電源、各式線路以及一個防災包）。另外，我就算站著搭電車也一樣會看書，**且如果發現正在閱讀的紙本書裡有自己感興趣的內容，還會立刻拿出便利貼來標記**。

事實上，**一個人越是沉浸在一本書裡時，就越容易忘掉前面已經讀過的內容**。

有些人讀到書中重點時，會想著「等回家後再來貼便利貼」，然後繼續讀下去。然而結果往往是，到後來就忘了那重要的內容出現在哪一頁了。

所以奉勸大家，一定要在自己還沒忘記、記憶猶新的時候，趕緊在文章或書中的重點處，貼上便利貼以提醒自己。

如果你閱讀的是電子書，則只要在閱讀器或平板上動動手指，就能使用螢光標示文字的功能來標記重點了。

書籍閱讀方式❷ 越是抽象、不易讀的地方，越要認真以對

使用便利貼標註書中內容時，有一個應注意之處——**別把大部分心力放在書裡有趣的小故事或對話等，容易閱讀的地方**。

有趣的小故事或對話，一般來說都是作者為了方便把自己的理念或哲學向讀者傳達時所使用的「材料」，而非「本質」。

一本書中本質的部分，通常會以較為抽象的文字來呈現。

事實上有不少人會因為覺得內容抽象的文字不容易讀，選擇跳過這些部分，專挑好懂的小故事或對話等「軟柿子」吃。然而這麼做，對深入理解書中的內容沒有任何幫助。

有鑑於此，我對各位讀者的建議如下：

「一本書中內容越是抽象、看起來不太好懂的地方，越要仔細閱讀。」

書籍閱讀方式❸ 把重要內容複製貼上，整理在筆記軟體中

用便利貼或螢光標示功能標記出書中的重點後，可別就心滿意足地以為，該做的事已

經結束了。

在這裡，筆者想請你回憶一下——自己學生時期是否也屬於那種，遇到期末考的時候，會在教科書上用螢光筆畫滿重點，然後就覺得自己已經複習完考試範圍的人呢？這樣的人其實還真不少。

接著我想請大家再回想一下，**這些僅用螢光筆標記過的內容，是不是幾乎都沒有真正進到自己腦中，成為可用的知識呢？**

若真想將被螢光筆畫過的內容牢記心中，累積起來成為自己的「知肉」，則還需要更進一步的加工才行。這裡所指的加工做法是——**使用「筆記軟體」整理，「複製貼上」被螢光筆畫過重點的內容**。

如果是紙本書，請先將貼有便利貼的地方攤開，然後把頁數和文字內容輸入到筆記軟體上。由於要打字有點麻煩，所以做這件事情時，不需一字一句精確鍵入，**只要輸入自己可以理解的內容就行了**。

如果能再附上個人的簡短感想，會更有效果。

電子書有受到著作權的保護，因此使用電腦上的軟體來閱讀時，大部分的情況是無法對內容進行複製貼上的。

Kindle也是如此，不論你是用電腦、智慧型手機的APP或閱讀器來閱讀，也都只能畫重點，無法複製書中內容，將其貼到筆記軟體上。[7]

但正如筆者在前面提到過的，這個難題其實有破解的「密技」。

專欄

密技！複製貼上Kindle內容的方法

若想複製貼上電子書的文字，第一步要先對想複製的內文，使用螢光標示功能畫重點。

Kindle其實有一個能在瀏覽器上，閱讀自己「螢光標示過的內容」和「做過筆記之處」的「隱藏版功能」。

你只要連上https://read.amazon.co.jp/notebook，就會進入「Kindle メモとハイライト」這個網頁。網頁裡使用者可以看到已經依書籍類別整理好的，過去自己做過重點的地方。

最令人高興的是，這個網站裡的文字內容，是可以複製貼上的！

只要使用這個「密技」，我們就能把電子書的內容複製到筆記軟體中了。

書籍閱讀方式❹ 閱讀過程中，同步把重要內容複製到筆記軟體

這裡要請大家注意，當我們在閱讀一本內容很讚的好書時，通常會在書中許多地方貼上便利貼或做螢光標示。但要是使用便利貼或螢光標示之處太多的話，等看完書之後要進行複製貼上的整理工作時，會相當麻煩。

反之，閱讀內容比較沒那麼讚的書時，儘管會讓人想使用便利貼或螢光標記之處的地方比較少，但在閱讀完後要做整理也會輕鬆許多。

然而越是優秀的好書，其實越應該在讀完之後，好好地做內容的重點整理才是——想一想這還真是矛盾啊！

不論是讀好書或沒那麼好的書，**我所採取的做法都是，會在閱讀一本書的過程中，同步把重要的內容複製到筆記軟體上**。

我會每讀完十五分鐘的書，當自己覺得有點累的時候，便先暫時停止閱讀，轉而把貼了便利貼之處，「複製貼上」到電腦或手機上。

7 審定註：若使用亞馬遜自家的電腦版或手機版 Kindle 閱讀器，選取文字後即可複製貼上。

這麼做的好處是，不會讓人產生「自己在讀書時集中力很差」的感覺。說實話，現今社會上大多數的人都不具備所謂的「集中力」（關於這一點我會在第八章再做詳細說明）。因此讀書時不妨像我一樣，**採取讀一下、休息一下，休息完後接著讀的作法，如此輕鬆地循環往復即可**。

書籍閱讀方式⑤ 為「吸引自己的內容」留下一小段文字紀錄

當我們在把書中重要的內容輸入到「筆記軟體」保存時，有一個動作相當重要，那就是**別忘了為自己從這段文字中所體會到的感受，以及覺得「有保存之必要」的原因，寫下一段簡單的文字紀錄**。

因為不管在閱讀當下，能讓讀者留下多麼印象深刻的內容，在被保存於「筆記軟體」後不出幾個禮拜，大部分的情況就是遭人遺忘。

正是為了預防這種事情發生，我們才需要附上一小段文字紀錄。

如何做簡短的文字紀錄？這裡筆者來向大家介紹一個使用智慧型手機錄音軟體，既簡單又省事的方法。當我們在書上貼便利貼或做螢光標記之後，接著請開啟手機上的錄音軟體，用口述的方式錄下書名和頁數，以及**「自己對被標註的內容的想法」**。

如果你使用的 APP 是 iPhone 內建的「語音備忘錄」，那麼還能同步將錄音檔儲存到電腦上。等到讀完書之後，再聽自己的錄音檔，把檔案內容輸入到「筆記軟體」中。

做這件事情時有個重點，那就是要具體記錄自己是對書中的哪個地方有感。例如：

「這裡所看到的解說，和之前在《○○》中看到的一樣。」

「這部分的內容和△△這篇新聞報導之間，好像有什麼關聯性。」

「這種思考方式，是不是也能用××來換句話說呢！」

像前面這幾句，就滿具體的。

如果讀者只是留下「真有趣」或「好感動啊」這類內容空洞的紀錄，那麼當日後再回去檢視時就會發現，自己已經完全忘了當初到底是對什麼有感了。

書籍閱讀方式❻ 活用文獻和引用，擴展閱讀範圍

當我們在讀一本書的時候，懂得如何**以「順藤摸瓜」的方式來擴展自己的閱讀範圍**，也很重要。

藉由一本書來擴大閱讀範圍，就好像自己化身成蜘蛛人，只要一伸出手，就能從手腕

處，拋射出一道美麗的弧形絲線一樣。

一般來說，一本好書的參考書目和引用文獻，通常也會做得很完整。而這些被好書引用過的書籍，相信也值得大家花時間找來讀一讀。

讀者們可以試著從一本好書書末的參考文獻中，挑挑看有沒有哪些有意思的作品，並實際拿來翻閱一下。

若利用 Kindle 的免費試閱功能來完成這件事，便可以**在不花錢的情況下，大致淺嘗不同書籍的內容，達到「擴展自己閱讀範圍」的目的**。

依「順藤摸瓜」的方式來閱讀，能夠擴展我們對於特定議題的掌握程度。若你在實際閱讀了參考文獻所羅列的書後，覺得沒什麼意思也無妨，只要再把注意力轉回原來閱讀的書上，然後架起另一個探索知識的天線即可。

藉由上述的做法，我們心中對於某個議題的知識就會不斷膨脹、累積，最終形成一個立體的形象。在我們對某個議題有了立體的認識後，就能對其進行細部的檢視，或站在高處來俯瞰它。

閱讀名著或艱澀書籍的訣竅

因「契合度」和「閱讀能力」放棄閱讀名著或難懂的書，真的很可惜

在名著或較艱澀的書類裡，有不少既難親近又不易閱讀的書籍。這類作品的內容通常不好理解又抽象，而且頁數還很多。

話雖如此，我們也不應該輕易地就驟下判斷，立刻認定它們是「與自己這一輩子無緣的書」。

有些書在文體和用語上雖然容易讓人望而卻步，但其內容蘊含著獨特的世界觀，是值得在當下這個時代閱讀的佳作。

這種書如果只因自己與它的契合度不佳或閱讀能力不足而放棄閱讀，其實相當可惜。

接著我就來介紹一些在**閱讀名著或艱澀書籍時，可以用上的訣竅**。

下面我要以杜斯妥也夫斯基著名的小說**《罪與罰》**為例子來說明。其實除了實際去讀這本小說之外，我們還要藉由閱讀與之相關的報導、書評以及入門書，為自己挖掘出一條護城河。

其實越是家喻戶曉的名著，所擁有的「護城河」就越多，很便於讀者使用。

具體來說，我們可以依下列五個步驟來進行閱讀——

①用書名在谷歌上搜尋，找相關的文章或書評來讀。
②在亞馬遜上閱讀與該書相關的書評。
③購買平易近人的入門書或解說書來讀。
④若該書有NHK節目《一百分的名著》（100分de名著）所出版的解說書，請列為入門書首選。
⑤最後找找看，有沒有與這部作品有關的漫畫或電影版相關作品。

透過上述的這幾個步驟，不只可以幫助讀者對於該作品有更為立體的認識，還能夠**從中獲得書本中所具有的現代意義、該作品在歷史中所處的位置，以及與之相關的多元背景知識**。

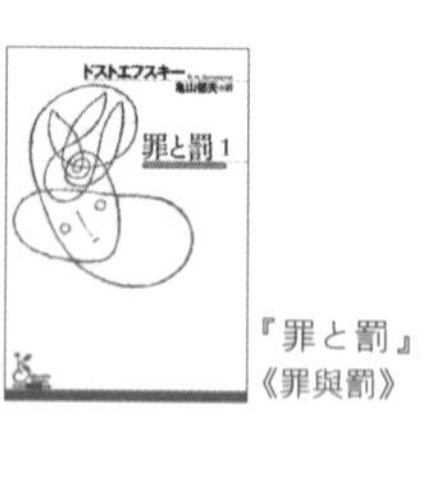

『罪と罰』
《罪與罰》

以《罪與罰》為例，介紹閱讀書籍的訣竅

筆者在十幾歲的時候，曾第一次嘗試挑戰閱讀《罪與罰》，但過程中卻在龐大的故事架構，以及俄國文學特殊又複雜的俄羅斯人名等雙重夾擊下，飽受折磨。最後連故事的情節以及自己是否有讀完這本小說的記憶都沒有。

在那之後過了好長一段時間，日本的光文社古典新譯文庫終於在二〇〇八年推出了《罪與罰》的最新譯本。這個版本的譯者是龜山郁夫先生，他既精於俄國文學，還是研究杜斯妥也夫斯基的知名學者。

由於在那之前，我已經讀過好幾本由光文社古典新譯文庫所出版的譯作了，有感於「新的翻譯竟然能讓古典作品這麼平易近人」，所以一看到全三冊的《罪與罰》新譯本問世時，立刻迫不及待地買來讀。

這次在面對新譯版《罪與罰》時，我幾乎是一鼓作氣讀完的。而且在閱讀過後還有想要仰天大叫：「《罪與罰》真的是小說中的傑作，世界上怎麼會有如此優秀的作品啊！」的衝動。

能透過龜山郁夫先生流暢易懂的譯文，來閱讀被世人所認可的名著，這件事除了「感動」之外，已無其他足以表達心情的詞彙了。

用書名在谷歌上搜尋，找相關文章或書評來讀

想要挑戰《罪與罰》這本小說的人，該如何展開閱讀才好呢？

筆者建議，在正式開始讀之前，可以先在谷歌上搜索相關資訊，藉此先大致掌握故事的「概要」。

維基百科裡，不論是杜斯妥也夫斯基自身或《罪與罰》的條目裡，都有關於這部作品的相關簡介。

我們可以先藉由閱讀維基百科《罪與罰》的條目，來了解一下杜斯妥也夫斯基創作這部小說時所處的時代背景。

《罪與罰》講述了貧苦的大學生拉斯柯尼科夫，殺害了一個利益薰心的老太婆的故事。為何拉斯柯尼科夫會去殺害這個老太婆呢？那是因為他相信，自己這麼做是為了整個社會好。

儘管殺人是不見容於法律和倫理的惡行，然而在拉斯柯尼科夫心中，卻存在「被上天選中的人，有權力去做為了這個社會好，卻不容於世間道德的事」這種扭曲的菁英意識。

然而拉斯柯尼科夫不但除掉老太婆，之後還把老太婆的妹妹（個性與她截然不同）也

殺死了，這件事讓拉斯柯尼科夫的良心無比煎熬。

後來拉斯柯尼科夫遇到了具有自我犧牲精神的賣淫女索妮雅，並且在受到她的生命態度感動後，選擇主動投案自首，最後被送到西伯利亞的監獄服刑。

日本維基百科對《罪與罰》這本小說想傳達出的精神，做了以下簡短的敘述：「賣淫女索妮雅雖然過著刻苦的生活，但她為了家人不惜犧牲自己，努力奉獻的精神，深深地打動了拉斯柯尼科夫，讓他願意主動自首。《罪與罰》是一部在故事情節中，提出了亟欲恢復人性這項訴求的人文主義小說。」

就像這樣，**我們可以透過在谷歌上搜尋相關資訊或閱讀維基百科內容等方式，來建立對《罪與罰》這本小說的背景認識**。

閱讀名著的訣竅 2

在亞馬遜上閱讀與該書相關的書評

除了利用谷歌搜尋外，我們還能**在亞馬遜上看到讀者們對書籍所做的評論**。

維基百科有時依條目中細項分類的不同，會出現由該領域的專家所執筆，對一般讀者來說頗具閱讀難度的說明內容。

遇到這種情形時，去看看亞馬遜上的讀者書評，也是不錯的選擇。

但需要注意的是，亞馬遜的讀者書評中，不乏「專門來找碴」或「秘密行銷」（Stealth Marketing）的內容。「專門來找碴」類的書評，主要是想藉由對該書的惡評，達到貶損作者的目的；而「秘密行銷」的書評，則是想吹捧這本書，希望能讓該書賣得更好，這樣自己才能賺到更多錢。

有鑑於此，筆者建議大家在讀亞馬遜的書評時，先從顯示為**「熱門評論」**的書評開始看起。或是挑選由「前50名評論者」或「前100名評論者」所撰寫的書評來讀。

另外，我們也可以從書評中是否有顯示**「Amazon 驗證購買」**這個記號的方式，來避開讀到那些根本沒有購買本書的人，所寫出來用於貶損該書的惡質書評。

閱讀名著的訣竅❸ 購買平易近人的入門書或解說書來讀

接著讓我們來找找《罪與罰》的入門書吧！

其實光是在亞馬遜上搜尋，就能發現不少有關《罪與罰》的入門書了。

藉由閱讀「內容簡介」和「讀者書評」，可以幫助自己挑選出淺顯易懂的入門書。

入門書是引導一般大眾進入名著堂奧的敲門磚，我建議大家可以從 Kindle 中，挑選內容看起來易讀好懂的入門書開始讀起。至於為什麼我推薦電子書呢？因為取得方便，購入後可以立刻閱讀。

在亞馬遜用「罪與罰」（罪と罰）進行搜索，我們可以找到許多與之相關的入門書。其中有一本名為**《解密罪與罰》**的書，作者為江川卓，他既是有名的俄羅斯文學和杜斯妥也夫斯基的專家，也曾親自翻譯過《罪與罰》這部小說。

這本《解密罪與罰》有意思的地方在於，作者在書中向讀者介紹很多，杜斯妥也夫斯基在自己的小說中所設計的笑話和文字遊戲。

透過**購買並閱讀入門書，能夠加深我們對名著的理解**。

閱讀名著的訣竅 ❹ NHK節目《一百分的名著》出版的解說書，請列為入門書首選

這一節，筆者想和大家推薦一套**入門書中的優秀系列叢書**。

NHK電視臺有一檔名為《一百分的名著》的節目。

雖說是電視節目，但我們也能在「NHK Ondemand」（NHKオンデマンド）[8]這個

『100分de名著 罪と罰』（一百分的名著 罪與罰）

『謎解き『罪と罰』』（解密罪與罰）

8 譯註：https://www.nhk-ondemand.jp/#/0/

網站上收看。而且該節目還會把播出的內容轉為文字付梓出版，出版品的頁數不多且篇幅適中，相當平易近人。

相信看到一本皇皇巨著擺在面前時，會心生「這麼厚的一本書，要怎麼讀啊……。」這類退卻之心的人，在看到輕薄短小的《一百分的名著》後，一定會鬆口氣，讀起來沒有心理壓力的。

想要挑戰名著時，**推薦大家首先可以查一下《一百分的名著》這個節目中，有沒有談論過這部作品，如果有的話，不妨找來看看**。

幸運地，《一百分的名著》有討論過《罪與罰》這部小說。

節目中負責解說這部作品的來賓，正是該書的譯者龜山郁夫先生。

雖然這個主題曾有出版過紙本書，但可惜的是，目前該書已絕版了。且亞馬遜販賣的二手書，價格竟然高達一千五百日圓。

儘管如此，想收看節目的人還是可以在「NHK Ondemand」上觀看。節目分為四集，看一集只需二十多塊臺幣，四集合起來也才近百元，很划算。

另外值得一提的是，伊集院光先生是《一百分的名著》這個節目的主持人，他在節目中發表的評論與感想，不只風趣且見解獨到，讓人印象深刻。

讀者可以依個人的興趣來選擇，要「閱讀」或「觀看」《一百分的名著》。

閱讀名著的訣竅5 找找與作品有關的漫畫或電影相關作品

其實不少人盡皆知的名著，都有漫畫或電影版可供選擇。

對喜歡漫畫的人來說，或許看漫畫對他而言，更容易吸收書中的內容。

而且因為出現在電影或漫畫中的人物，比書本上只靠文字敘述的更為立體、有辨識度，所以能讓讀者輕鬆地對故事情節中出現的人物進行梳理。

會被翻拍成電影或改編為漫畫的作品，絕不僅限於小說而已。

舉例來說，法國經濟學家托瑪．皮凱提（Thomas Piketty）所著的學術書《二十一世紀資本論》（*Le Capital au XXIe siècle*），居然已在全球賣出了三百萬本之多，被喻為「二十一世紀最暢銷的書」。這本重量級著作的日文版紙本書，厚達七百多頁，而且內容很難懂。我相信，認真讀完這本書的人應該不多。

如今，**這本又厚又難的《二十一世紀資本論》，也有電影版囉！**

這部電影裡使用了不少老電影中的畫面，搭配作者皮凱提親自上陣做解說，在兩個

『21世紀の資本』
《二十一世紀資本論》

小時以內，以易懂的方式，把該書的內容傳遞給觀眾。這部電影可以在「Amazon Prime Video」上觀賞，相信看過的人一定能對《二十一世紀資本論》的內容有一定的理解。

《罪與罰》雖然也有不少影視作品，但我想推薦給大家的是漫畫作品。

市面上《罪與罰》的漫畫有好幾種版本，而我最最推薦的是岩下博美的《罪與罰（漫畫學術文庫）》。

岩下版的《罪與罰》不但忠於原著，而且將內容濃縮成一冊，讀者們可以透過閱讀這本漫畫，來了解《罪與罰》的世界。

岩下博美的漫畫作品除了《罪與罰》外，還有杜斯妥也夫斯基的《卡拉馬助夫兄弟們》，甚至有馬克思的《漫畫資本論》。每一部都有其可觀之處。

另外，落合尚之的《罪／罰》這部漫畫作品以原著小說的內容為基底，將故事情節搬到今天的東京。雖然落合對原著劇情進行了大幅改編，**但他藉由漫畫成功地從嶄新的角度，對杜斯妥也夫斯基的哲學進行了詮釋，我認為實在是一部優秀的作品**。

雖然只讀落合尚之的《罪／罰》，或許無法增進對於原作的認識，但若讀者們能把岩下的作品拿來與之併讀，一定能感受到，自己對杜斯妥也夫斯基的世界觀，有了更深層次的理解。

『罪と罰（まんが学術文庫）』
（罪與罰（漫畫學術文庫））

『カラマーゾフの兄弟』
（卡拉馬助夫兄弟們）

『資本論』
《漫畫資本論》

落合尚之的《罪／罰》還有翻拍成電視劇，也發行了ＤＶＤ。

名著是學習「多元視角」的教材

對我們來說，只是單純地去「閱讀名著」本身，並非主要的目的。

就算某個人宣稱「我可是把《罪與罰》從第一頁看到最後一頁囉」，那也只是達成了一項用來自我滿足的紀錄罷了。

真正應該去達到的目標，是**藉由《罪與罰》這個素材，來認識世界**。

在讀過《罪與罰》這部小說後，若能把杜斯妥也夫斯基所擁有的「偉大文豪的視角」加以吸收內化，就能學習到他理解這個世界的角度。

如此一來，讀者就是**透過「文豪的世界觀」，來認識這個世界的輪廓**。

「名著」就是幫助大家完成上述目標的「素材」。

不管再怎麼優秀的名著，只要內容無法轉化為讀者的「知肉」，那麼書頁上出現的不過就是一堆文字的集合而已。就算某個人把這些文字全部讀過一遍，也只不過是完成「讀

『罪と罰 A Falsified Romance』
《罪／罰》

過了」這件事而已。

對個人來說，內容能轉化為「知肉」的書，絕不僅限於家喻戶曉的名著而已。不論是早已被世人遺忘的絕版書、自費出版書、發行量少且幾乎沒有在市面上流通的書、某個領域的入門書，亦或旅遊導覽類書籍，只要書中的內容能夠轉化為讀者的「知肉」，幫助人們認識這個世界，那麼這本書就有其意義。

實用、商業和心理勵志書籍的閱讀法

實用書的閱讀法

實用書是人們獲取「知識」的重要來源之一。這一節我就要來分享實用書的閱讀方法。

一般來說，**大部分實用書的內容，並無涉及宏大世界觀的敘述**。因此面對實用書時，我們並不需要「將整本書從頭讀到尾，以理解書中的世界觀」。比較好的做法是，採取**「吸收散落在書中各地方的『知識片段』」**這樣的閱讀方法。

首先，你可以先**透過閱讀書的「序」或「前言」，來大致掌握「這本書想傳達給讀者什麼樣的知識內容」**。

接著**瀏覽目錄，從中挑出對自己來說重要的部分來讀即可**。

建議大家，在大致掌握了一本書的整體內容後，接著可以用條列的方式，把書中的重點記錄在「筆記軟體」中。

這麼做的目的，是為了應付日後可能會遇到的各種情況。

例如有一天，當你突然想到「我好像之前在某本書裡，有讀到這樣的內容」時，就能打開筆記軟體，用關鍵字進行搜尋，立刻找出自己過去對該書所做的筆記來看了。

實用書重要的意義在於，**我們可以將其當成是個人的「知識儲藏室」加以利用**。

書中的知識不一定立刻就會派上用場，但卻可能在日後某個時間點，為我們所需。

實用書不一定能為讀者提供建構世界觀的「知肉」，但書中隨處可見散落於各處的知識片段。

以上便是有關實用書的介紹。

商業書的閱讀法——把商業書分為三種類型

接著來分享，商業書該怎麼讀。

一般來說，商業書指的是**「內容為有關商業之知識以及思考方式的書」**，但實際上這類書籍的內容還挺寬泛的。有的商業書內容偏向實用書；有的則偏向心理勵志書；其中有些商業書還擁有深刻的世界觀。

因此，當我們拿到一本商業書時，首先要做的事情，就是去分辨這是一本**「屬於哪種類型的商業書」**。

只要大致上分成以下三種類型就可以了——

①「偏實用書的商業書」
②「偏心理勵志的商業書」
③「擁有世界觀的商業書」

要分辨手上的商業書屬於上述哪一種類型，**首先可以閱讀該書在網路書店上的說明文，然後大致瀏覽一下「前言」和「目錄」**。經由這幾個步驟，讀者便已經可以了解書中所使用的文字和內容，所以這樣應該就足以做出判斷了。

在「偏實用書的商業書」裡，我們可以看到許多能應用於商場上的實用性內容。

而在「偏心理勵志的商業書」裡，則可讀到像「怎麼做才能成功」或「我如何克服困難」

這類雞湯型的內容。成功企業經營者的傳記或自傳，大多屬於這種類型。

最後，在「擁有世界觀的商業書」裡，不僅會論及與商業和公司經營相關的話題，且大多還會涉及到更為廣泛、有關社會以及歷史的內容。

因為在「擁有世界觀的商業書」中，不時會出現較難理解的內容，所以筆者建議，當遇到這種情況時，可以採用我在前文中已經介紹過的「閱讀名著或艱澀書籍的訣竅」來應付。這種閱讀方法，同樣也能套用在實用書上。

那麼「偏心理勵志的商業書」和「心理勵志書」又該如何閱讀呢？

心理勵志書的閱讀法
——所謂「正確答案」，大多只是「後見之明」

在第一章時，我們已經談過有關「立場偏頗媒體的問題」了。

其實「立場偏頗的問題」不只會出現在與政治有關，涉及「意識形態」之處，在商業或心理勵志類書籍中，也是隨處可見。

事實上，不論是在商場或個人的生活方式上，都沒有所謂的「正確答案」。

有些看起來很像「正確答案」的事物，往往不過是些「後見之明」罷了。

例如：當我們閱讀成功企業家的自傳時，經常會看到諸如「我因為這麼做，所以成功了」、「你只要和我做一樣的事，也會獲得成功」之類的內容。

請思考一下，真的只要模仿成功人士怎麼做，就能複製他的成功嗎？

以前有一位銷售顧問曾對我說過一段，我至今仍記憶猶新的話。

他告訴我：「大家都會跑來問我『東西要怎麼樣才能賣得出去？』然而現實中並沒有放諸四海皆準的必勝法。」

接著這位銷售顧問斬釘截鐵的表示：**「如果非要說有什麼是可供依循的法則，那我也只能告訴別人『你如果這樣做的話，肯定是行不通的』。」**

從這段話可以知道，一般人能做的，其實只有努力讓自己遠離失敗而已。

每個人都願意相信，自己擁有無限力量

然而成功企業家的想法和一般人不太一樣。這些人相信，自己的成功來自個人在開拓

事業上的努力，以及上天的引導和眷顧。

為什麼成功的企業家容易有這種想法呢？那是因為，如果只把自身的成功歸因於「運氣」和「偶然」的話，不是顯得太沒說服力了嗎？

其實，**我們每個人都願意相信，自己擁有無限的力量**。

當然，社會上「無能」的成功人士並不常見。

儘管事情總有例外，但無庸置疑，大部分成功的企業人士都很優秀。

但**若要說一個人只要超級優秀就肯定會成功，似乎也不盡然**。翻開人類的歷史來看，優秀之人的失敗案例也是歷歷在目。

書市上賣得嚇嚇叫的爛書雖然並不常見，但也不是沒有。

反之，再怎麼精良的內容，也都不是一本書能夠暢銷的保證。

「人」和「書」在這點上，道理是相通的。

優秀的企業家在成功之前，肯定會遇到許多困難和挑戰，有時他可能會遭人欺騙、受到蠱惑，甚至被迫做出某些決定。但重要的是，在經歷了無數個抉擇後，他依然存活下來了。

我相信，人在做抉擇時能挑中「正確」的選項，其實大部分靠的是運氣。

或許有些讀者並不認同我這樣的想法，但不妨回憶一下，你是不是也曾想過，以前在做某個決定時：**「如果自己做了『另一個選擇』，那麼我還會是現在這個位置上的我嗎？」**

針對這個問題，能自信滿滿地回答「ＹＥＳ」的人，我敢保證，他要不就是性格高傲，要不就是對自己缺乏正確的認識。

「後見之明」的內容不可盡信

仔細想想，**人生其實就像「爬格子」遊戲**，每個人都是在做出了無數個不同的選擇後，才變成現在這個樣子。

只要某個人過去做出的選擇，從事後來看是正確的，那麼現在他很可能就是位居高位的成功人士。

當我們回顧過去時可以清楚看到，某人因為在「爬格子」遊戲上做出了正確的抉擇，所以有了今天的光景。

「當時之所以會做出這樣的決定，我想應該和自己的能力有關。那時擺在我面前的選項並不多，想來是命運引導我走向了通往成功的道路吧！」

社會上不少人**對上述這種「後見之明」的話語深信不疑，他們在讀過成功企業家所寫**

的書或心理勵志類書籍後，往往會產生「有為者亦若是」的想法。

專欄

心理勵志類的書，其實不過是「興奮劑」而已

社會學家牧野智和在他的著作《侵入我們日常生活的心理勵志書》中，針對心理勵志類書籍，有過一段有趣的描述。

牧野認為，**心理勵志類書籍其實就像「興奮劑」**。

人們在讀了這類型的書之後，會突然變得有精神，充滿幹勁。

然而之後在日復一日機械式上下班的過程中，人們又會再度變得失去動力，不知道該如何是好。

此時只要再讀上一本心理勵志類書籍，就能讓自己再次滿血復活。牧野發現，心理勵志類書籍的讀者，根本不會在意書中提供的資訊是否正確可靠。

儘管不能否認，人生中也有需要飲用「興奮劑」的時候。但光喝興奮劑而不攝取均衡的養分，對保持身體健康來說並無益處。

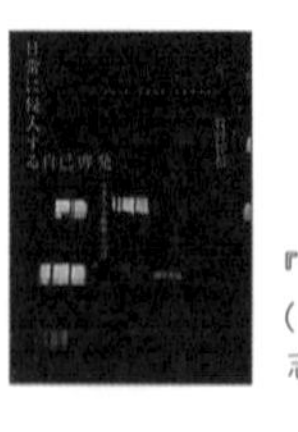

『日常に侵入する自己啓発』
（侵入我們日常生活的心理勵志書）

唯有不偏食，而且每餐都吃營養又可口的食物，才是讓人頭好壯壯的不二法門。資訊也和食物一樣。

我們不應偏食，只讀心理勵志或成功人士的經驗談，**而是要橫向吸收更多「不偏頗的資訊」，幫助自己更加認識這個世界**。

我們必須認識到，懂得如何取得資訊並加以分析的能力，對於生活在二十一世紀的每一個人來說，都是極為重要的生存技能。

書要在「什麼時候」和「哪裡」讀呢？

適合「專注力低落時代」的讀書術

本章最後，**我想和大家分享一下我的閱讀風格，亦即書要在「什麼時候」和「在哪裡」閱讀**。

對生活在二十一世紀的人來說，要創造一個完整的時段出來並不容易。

不僅如此，人們還很難長時間保持專注力。

因此，像古人那樣坐在書桌前，調整好正確坐姿，讓自己完全沉浸在書本中的閱讀方式，恐怕已不適合今人了。

我在第八章會再詳細說明，為什麼**我們沒有必要為了專注力不夠這件事而感到困擾**。

其實只要能活用零碎的時間，每個人都能在任何時刻和地點，以自己喜歡的姿勢來進

行閱讀。

以Kindle的電子書為例，目前哪本書讀到哪裡，雲端都有做紀錄，而且還能同時連動到電腦、智慧型手機、平板以及電子書閱讀器，這和我個人的閱讀風格非常相符。

隨著不同的場合改變使用的閱讀工具，讓使用者可以周遊在各式工具間，無縫接軌地進行閱讀。

每個人都有想在睡前讀書、坐在書桌前讀書，或是在搭電車時，於車廂中站著讀書的時候。

不論處在何種空間環境下，只要改變工具，就能開始閱讀。

佐佐木閱讀風格 1 加總每天的零碎時間，約有兩小時可供己用

當筆者在使用電腦工作時，**偶爾會出現「現在好想看一下其他的書啊」的時候，這時我會開啟電腦版的Kindle，直接用電腦來讀電子書**。

等到「喔，已經是要出門和別人討論工作的時間啦」的時候，我便拎起包包走去火車站搭車，前往下一個工作地。

如果到了月臺，發現下一班車還有五分鐘才會進站。我就會**拿出手機，開啟手機上的 Kindle 來讀書。此時開始閱讀的頁數，剛好就是自己剛剛在電腦上讀到的那一頁**。

上了火車後，我會在乘車過程中繼續閱讀。

等到和其他人結束了漫長的討論，回到家裡的工作室後，我會在打開電腦重新投入工作之前，稍微小憩一下。

如果沒有其他人會看到，我喜歡直接躺在沙發上休息。

此時，重量很輕的 Kindle 閱讀器就是我躺在沙發上時的良伴了，就算用它來閱讀電子書時不小心睡著了，閱讀器砸到自己臉上也不會太痛，而且就算閱讀器掉到地上，也不太會出問題（樹脂製的外殼很牢靠）。

在搭乘新幹線或飛機**進行長時間移動時，我會用 iPad 這類平板來閱讀**。到了自覺書讀得差不多的時候，再用平板來看漫畫或電影，轉換一下心情。

在閱讀電子版漫畫時，相比於只有黑白二色的閱讀器，平板的全彩大螢幕以及較快的運轉速度，都能打造更佳的閱讀體驗。

然而不論是閱讀器或平板都有一個小缺點，那就是想要使用時，就得把它從包包裡取出來才行。

如果是在擠滿人的電車車廂裡，或是搭乘只有十分鐘左右車程的計程車時，會讓人覺得要拿出來使用有點不便。此時我就會換成用手機來閱讀。

像這樣，**我會利用零碎的時間來看書。若把一天之內零碎的時間加總起來，約可得到兩個小時左右的閱讀時間。**

如此妥善利用這種積沙成塔的零碎時間，讓我大約每三天就能讀完一本書（當然，根據書的種類不同會有差異）。

如此一來，每個月就可以讀完十本書，算是挺不錯的閱讀量。

佐佐木閱讀風格❷ 把握零碎的時間閱讀

把握零碎的時間，進行有效率地閱讀。這是我閱讀風格中的另一大重點。

「若不是坐在家裡的椅子上，我就沒辦法好好閱讀。」

「如果不是坐在圖書館那張舒服的椅子上，就不想看書。」

「在那間我喜歡的星巴克裡，有一個我專門用來閱讀的角落座位。」

「我喜歡睡前在床上看書，除了這個時段外，很難靜下心來閱讀。」

「我會利用午後到咖啡店，喝個下午茶休息一下的時間來讀書。」

要在什麼「地點」和「時間」進行閱讀，是每個人的自由。雖然以自己喜歡的方式來閱讀不是壞事，**可是一旦把個人讀書的時間和地點給固定下來，那麼能用於閱讀的時間，**

只會越來越限縮而已。

我們既已活在一個閱讀方式多元的時代裡了，何不試著與時俱進，讓閱讀這件事更有彈性些呢？

向極簡主義者學習閱讀技巧

這裡筆者想換個話題，和大家談談「極簡主義者」（Minimalist）的生活風格。極簡主義者會盡量減少家中的家具、電器用品以及日用雜貨的數量，實踐「無物一身輕」的簡單生活。

我自己也會盡量減少身邊東西的數量，過著類似極簡主義者的生活。

不少人認為，既然極簡主義者擁有的東西這麼少，那麼他們在日常生活中，應該很不方便吧？然而事實與大眾所想的剛好相反。

這是因為極簡主義者過著一種稱為「活在城市裡」的生活方式。

所謂「活在城市裡」指的是，把住家附近的咖啡店或餐廳，當成自家的飯廳來使用；把沒走幾步路就能到達的便利商店或超市，當成自家的廚房來使用；待在裡頭能讓人感到放鬆的咖啡館，就是自家的客廳……。極簡主義者善於活用城市裡的不同設施，讓整個城市都能為自己所用。

一個人在執行這種生活方式後，家裡的東西自然就會變少，**心態上也會發生正向的改變，「只要習慣了這樣的生活，不論到哪裡都能輕鬆過日子」**。

有許多人表示「若不是在自家的沙發上，就無法放鬆」、「只要枕頭換了，就睡不著覺」。這些問題在實踐極簡主義的生活方式後，都能解決。

總結上述內容可知，極簡主義者的信念是：**「我們會讓自己去適應環境，使自己可以在任何地方過生活，並感到舒適自在。」**

佐佐木閱讀風格 ❸ 值得學習的「極簡主義者閱讀術」

回到閱讀的主題。我認為「極簡主義者」的風格，符合當代的閱讀方式。

當我們能從「不待在某個地方，就看不了書」或「不到某個時間點，就無法進行閱讀」的束縛中解放出來，並活用多元的閱讀工具，就能把自己改造成無論在何時何地，都能進行閱讀的人。

「極簡主義者閱讀術」確實值得每個人加以實踐。

在養成了這種閱讀習慣後，你將可以在任何地點以及時間，以你所喜歡的姿態在不同的環境下，進行閱讀活動。

什麼桌子椅子啊，都不再成為個人閱讀時的障礙，你只需專注在紙頁或畫面中的文字就夠了。

「閱讀」的本質，其實就是人們和文字以及文章的相互對峙。

除此之外，所有一切其他的事物，都是閱讀過程中沒有必要的雜質而已。

第6章

分別用「兩種保存方式」，是活用知識和資訊的關鍵

——透過「四步驟」，培養自己的「知肉」

資訊轉化為「知肉」，關鍵在於「保存方式」

至止，我已經和你分享了媒體上的文章和書本的閱讀方法。

但我希望你可別覺得讀完前五章就足夠了，正如我在序章的「大前提4」曾說的，我們應該要藉由從閱讀所得的「知識和觀點」來掌握「概念」，並以此描繪出「世界觀」，而最終目的，是使其成為自己的「知肉」。

究竟，該怎麼做才能讓讀到的東西轉化為「知肉」呢？

答案很簡單。

關鍵在於**「知識以及資訊的保存方式」**。

而其中的重點又是，**要分兩個地方來做資訊的保存**。

所謂兩個地方，指的是**「人的大腦」**以及**「人腦之外的電腦」**。

當一個人可以分別保存資訊，就能透過「儲存在電腦裡的知識和資訊」，幫助自己在腦內形成「概念」，然後進一步建構出「世界觀」——如此就能將其轉化為「知肉」了。

具體的做法，我會在本章詳細說明。

知識和資訊的「兩種保存方法」
──「大腦保存」和「電腦保存」

「大腦保存」和「電腦保存」

為什麼我們應該區分出「大腦保存」和「電腦保存」呢？在說明之前，我先把「電腦保存」的好處整理如下：

❶電腦的記憶空間近乎無限

首先，**電腦的記憶空間近乎無限**。和人類的大腦相比，電腦儲存資料的空間，幾乎沒有上限。

今天，**我們已經可以把花上一輩子都讀不完的文字檔，免費地儲存在雲端硬碟上了**。

❷電腦絕不會遺忘

其次，電腦絕不會遺忘。和容易忘事的人腦相比，儲存在電腦裡的資料，隨時可供人取出來使用。而且還不會發生日子一久就記憶模糊的情形，檔案內容永遠是正確的。

❸當我們需要某個檔案時，可以輕易找到

最後，**每次當我們需要用到某個儲存在電腦裡的檔案時，都能輕易找到**。

人腦的記憶很不可靠，經常會「忘記」或出現「記憶有點模糊，想不太起來」的情形。

而且隨著年紀越大，人腦的記憶存取功能會更為低落。

但換作是電腦，**只要使用「關鍵字」或「標籤」來做搜尋，就能準確地找出我們想要的檔案了**。

「電腦保存」的缺點

雖然「電腦保存」的優點那麼多，但也並非沒有缺點。

與人腦不同的地方在於，**儲存在電腦裡的資訊，並無法形成「概念」**。

我在前文中曾解釋過，所謂的「概念」指的是，**能夠把「多樣的資訊」按照順序統整起來，經過歸納整理後使其成為一個「故事」，最後勾勒出一個「世界」**。

前文中我們曾以「大象」為例，來對「概念」做解釋，這裡我再以「我到今天為止的人生歷程」為例，以更簡單易懂的方式和大家做說明。

在筆者的腦中，儲存著一個關於我活到花甲之年的人生故事。

我的孩提時光在大阪度過，之後因雙親換工作，舉家搬遷到愛知縣，在那裡度過了為升學而努力的中學生活。在決定就讀東京的私立大學後，我為了找到便宜的住處，忙活了好一陣子。大學時期我瘋狂迷上攀岩，甚至到了蹺課的地步，導致最後沒能完成大學學業。之後經過一番周折，總算是進入一間錄取資格不看學歷的報社裡任職。在擔任刑事案件新聞記者的過程中，我曾經歷過一場大病，並以此為契機離開了報社，成為一個自由新聞工作者。以上這些回憶和片段連結在一起，交織出我的人生故事。

可以說，我的人生故事是一個經過整理的「世界」，讓人透過它可以了解到「佐佐木俊尚有過這樣的人生經歷，是這樣一個人」。而這，就是所謂的「概念」了。

拼接「雜亂資訊」，使其成為「故事」

除了腦海，筆者的人生同時也保存在電腦裡面。

例如過去自己拍攝的照片、寫過的文章、電子郵件以及和其他人互動交流的紀錄，都儲存在電腦中。就連我曾到哪裡旅行、爬過哪一座山的移動路徑，也都自動記錄在谷歌地圖裡。當然我在亞馬遜上買過的東西，無一例外也全都保存在亞馬遜上。

智慧型手機和社群網站（SNS）於二〇一〇年代開始興起，而我開始用電腦寫稿子，則可回溯至一九九〇年代。由此可知，以我的情況來說，儲存在電腦中的資訊，大概占了我人生的三分之一左右。

至於出生於二十一世紀之後的世代，他們的人生軌跡則幾乎全部儲存在電腦之中。

先不論不同世代的人，有多少比例的人生儲存在電腦中這件事。那些被保存在電腦裡的大量照片、文章或訊息，都不過是「人生的片段」而已，累積再多也不可能自動轉化為某個人的「人生故事」。

為了讓「雜亂的資訊」能夠轉變成「概念」，人們需要在自己的腦中，把這些又多又雜的資訊拼接起來，使其成為一本可讀的「小說」（故事）。

「人腦」和「電腦」相互合作，以起取長補短之效

舉例來說，在某個人的電腦中，保存著他二十幾歲時，寫給當時女朋友的情書；以及他三十多歲時，交往的另一位女朋友的照片；還有之後他們小孩的照片。

存放在電腦中的這三個檔案，如果把它們個別分開來看，那就只不過是這個人在人生中的片段罷了。但當此人把那些照片和情書拿出來重新回味時，它們會形成一個「故事」。

「二十幾歲時的那個女朋友，我是真心的喜歡她，可惜彼此在大吵一架後分手了。之後我和偶然認識的女孩展開交往，最後步上紅毯……如果我沒有和前女友分手的話，不知道現在的人生又會是如何呢？」這就是我所謂的「概念」了。

電腦雖然有超強的記憶力，但卻缺乏組織「故事」，以及體系化的思考能力。而後者，正是人腦的強項。**人腦雖然善於創造「概念」，記憶力卻遠遜於電腦。**

因此，如果我們能讓人腦和電腦攜手合作，就能起到截長補短的雙贏功效。

- **人腦＝雖然記憶容量小，但卻善於創造「概念」。**
- **電腦＝儘管沒有創造「概念」的能力，但記憶容量趨近無限。**

有關電腦和人腦之間的差異，希望大家能先記在心裡。

「兩種資訊保存」的具體作法
——無須對檔案進行「分類」或「新增資料夾」

只在資訊量少時，才「分類」或「新增資料夾」

在第四章裡，已經介紹過，保存從網路上所蒐集到的資訊的方法了。

我們藉由每天在「社群網站」、「RSS」和「付費媒體」進行資訊蒐集，然後把蒐集到的資訊儲存在「Twilog」、「Pocket」或「筆記軟體」上。

需要注意的是，**做這些事情時，並不需要對檔案「分類」和「新增資料夾」**。

在檔案、文件還不多時，將其整理得井井有條，或許不是件難事。

筆者一九九〇年代開始使用電腦工作那時，我會在硬碟裡分出許多資料夾，並且把寫好的稿件、取材時所做的筆記、資料以及照片等，都整齊地擺放在抽屜裡。

然而在使用電腦工作超過二十多年後，我從過去累積至今的資訊量，已相當驚人。如果再把以前讀過的文章也加進來的話，更是難以計數。

因此**從很久之前開始，我就已放棄在電腦上用資料夾來做檔案分類了**。

我只會把自己讀過的文章一篇接著一篇地**存放到「Pocket」的「文件封存功能」或者「Notion」這類筆記軟體裡**。

為搜尋方便，檔案要附上「標籤」或「標題」

我們在儲存文件時，為了日後搜尋方便，可以為其附上「標籤」。要是文件本身已經有標題，則可再為它製作一個更簡短的「標題」。

舉例來說，我會把自己買的電子產品說明書轉成PDF檔，然後和其他文章一起保存在筆記軟體裡。

儲存時我會為這類PDF檔附上一個「說明書」的標籤，然後把產品的名稱當作標題來使用，例如：「掃描 ScanSnap iX100」。如此一來，檔案就會排列得整整齊齊，且易於日後搜尋。

經過這番前置作業後，當我想看掃描器的說明書時，既可以從「說明書」這個標籤開始找起，也能從產品類別、名稱或型號等來做搜尋。

「標籤」或「標題」，都是人們在找東西時可使用的「線索」。

我們無須去整理檔案，**只要「線索」在，日後搜尋檔案時，就不用大費周章了**。

專欄

推特也是可用的「線索」

第四章時曾說過，把讀過的文章在推特上做介紹，也是一種留下「線索」的方法。若使用「Twilog」這項服務，當我們在推特上推薦文章時，還能同步把自己所寫的評論記錄下來。

人腦相當有意思，就算我們想不起來文章的標題或標籤，但大多數時候，都能清楚地記住自己對該篇文章所寫下的感想或介紹文字。正因如此，**我們可以把推特當成找出資訊的「線索」**。

然而，要是「在推特上發表的文章，一定要附上標籤或標題」變成一種強制行為，反而會讓人產生倦怠感。

因此只要是能用來輕鬆保存資訊的方式都值得嘗試，不用勉強自己非得怎麼做不可。

另外，就算沒有「線索」，我們也還是能透過文章的「關鍵字」來做搜尋。

例如：谷歌的線上同步儲存服務**「Google 雲端硬碟」，就能夠讓你用「全文檢索」的方式，來對自己以前所寫過的文章、儲存的資訊以及 Power Point 簡報等檔案內容，進行搜尋**。

只要能活用前面提到的這些技巧，相信讀者們都可以找出自己所需的資訊。

如何儲存《罪與罰》相關資訊？

接著我們把焦點轉到——該如何把資訊儲存在人腦中？

這裡筆者以前一章提到的《罪與罰》為例，進一步來做更為具體的說明。

當我們在閱讀這本小說時，下面這幾個項目，應該要記在心裡：

「作者的名字」。

「這本小說的時代背景」。

「故事大綱」。

將這幾項內容統整起來，可以完成這樣一篇短文——

杜斯妥也夫斯基在十九世紀中葉的帝俄時期，完成了《罪與罰》這本小說。故事中，貧窮的大學生拉斯柯爾尼科夫殺掉了慾望深重、從事高利貸的老太婆。雖然拉斯柯爾尼科夫相信，自己所做的事情對這個社會有益，但他卻苦惱於在除掉老太婆時，還連帶殺害了撞見自己的老太婆的妹妹這件事。拉斯柯爾尼科夫最終在妓女索尼婭的曉諭下向警方自首，然後被送進監獄服刑。

然而這樣的文章，最多只能算是一篇小學生程度的讀書心得而已。

由此可知，這類文章中真正重要的，其實並非故事的大綱和作者的名字。能夠寫出《罪與罰》這本小說的故事大綱固然值得稱許，但如果只做到這一步，並無法讓讀到的內容，轉化為自己的「知肉」。

筆者在上一章曾說過，**學習「作者的世界觀」才是人們藉由閱讀名著所要達到的最重要目標**。**而名著則是達成這個目標的素材**。

為此，讀者們需要從名著這類文本的內容中，**抓出其所欲傳達的「概念」**。

當我們能夠掌握住《罪與罰》中的「概念」，並把這些「概念」羅列出來後，自然就能領略**「杜斯妥也夫斯基的世界觀」**了。

透過認真地學習這個「世界觀」，就能充實自己的「知肉」。

整個流程整理如下。

閱讀名著↓透過閱讀，學習到「多元的知識和觀點」，並以此掌握「不同的概念」

↓領略作者的「世界觀」↓將其轉化為自己的「知肉」。

保存在「人腦」和「電腦」中的資訊有何不同？
──以《罪與罰》和《一百分的名著》為例說明

保存在「筆記軟體」中的內容

接下來要和大家分享，我把《罪與罰》轉化為「知肉」的具體執行過程。

對一般人來說，只是單純地去閱讀《罪與罰》，很難對其有深刻理解，並轉化為自己的「知肉」。

除了小說本身之外，我們還需要藉由閱讀《罪與罰》周邊與之相關的入門書或漫畫，**並從中抓出一些「概念」，才能幫助自己更深、更廣地來認識其「世界觀」**。唯有做到這樣，才算是把小說的內容轉化為「知肉」。

舉例來說，除了小說外，我還收看了《一百分的名著》這個節目討論《罪與罰》的那幾集，並且還把主持人伊集院光的某些發言內容給記錄了下來，儲存在自己的「筆記軟體」之中。

筆記A

伊集院：有些犯下了讓社會為之震驚的刑事案件的犯人，其實原本都是認真過生活的人。然而他們因為感覺自己的付出沒有得到應有的回報，而在心中萌生出「社會不應該這樣」的想法。

一些被社會上認為是「資優生」的人，往往會幹出令人難以置信的大事。

我覺得拉斯柯爾尼科夫就很像這種人。

一個就讀法律系的學生，原本應該是要去學習法律規章的……然而最後，不是他放棄了法律，而是他覺得自己被法律給拋棄了。

這段內容讓人印象深刻。

前面這段伊集院在節目中所說的話，我將其記錄下來後，取名為「筆記A」。

為何我會想記錄下這段話呢？因為從中讓我產生了下面這些想法：

「有些人由於過於認真，反而出現一種被社會給拋棄了的感覺。」

「或許他們心裡覺得，明明自己對這個社會做出了貢獻，但是社會卻沒有給予自己相同的回饋。」

從「筆記」的內容中抓出「概念」

我在前文中已經提過不少次，所謂的「概念」指的是**「把多樣的資訊依照順序集結成故事，使其成為一個『世界』」**。

例如國語考試中「作者透過這篇文章想傳達什麼？」這類題目要問的就是「概念」。

從**筆記 A** 中，我得到了**概念 A**。

概念 A

「有些人正因為是資優生，所以才具有反社會的傾向」。這種乍看之下讓人很難相信的矛盾，確實存在於人類身上。

「概念」不是小說中登場人物的名字或故事大綱。

「概念」是**「用簡單扼要的短文來說明，杜斯妥也夫斯基這位作家想透過小說傳達什麼訊息」**。

我在前文中曾提到，日文維基百科的《罪與罰》條目中有這樣一段描述。

「《罪與罰》是一部在故事情節中，提出了亟欲恢復人性這項訴求的人文主義小說」。

這段簡短的文字，就是「概念」。

藉由「筆記」掌握「概念」的兩個實例

男主角拉斯柯爾尼科夫雖然高傲，但其實他的內心裡也有溫柔的一面。例如：當他遇到身無分文的人時，會把身上也所剩無幾的錢送給對方。關於這一點，伊集院光和負責解說的龜山郁夫先生有這樣一段對話。我把內容整理成「筆記B」。

筆記B

伊集院：拉斯柯爾尼科夫雖然犯下了殺人罪，但他同時也願意把錢送給貧苦的家庭。此舉不只讓他得到了貧苦家庭女兒的一吻，還使他感到一股油然而生的勇氣。

如此一來拉斯柯爾尼科夫肯定了自己的殺人行為。

龜山：從這裡可以看出，他真的是一個性格充滿了矛盾的角色。

一個人同時擁有兩個自我，其實這就是「人格分裂」。

伊集院：深有同感。

人在青春期時，有時會出現真希望如此渺小又不起眼的自己，能夠消失的想法。但與此同時，自己的心裡也會出現「像我這樣的人，總有一天會飛上枝頭功成名就」的想法。這就是人所擁有的「雙面性」。

從這段**筆記B**中，我得出下面的**概念B**。

概念B

我們很難單純地將某個人劃分為「好人」或「壞人」。每個人身上其實都存在「既有善也有惡」的雙面性。

正因如此，我們可以理解拉斯柯爾尼科夫為什麼會有「為了正義，天才可以除掉凡人」這種極端的想法。

龜山先生和伊集院還有如下的對話，我將其內容整理為**筆記C**。

筆記C

龜山：儘管從人類歷史的角度來看，確實存在天才踐踏了凡人權利這種事情。但「人

類歷史上的犯罪」以及「個別狀況之下的犯罪」，這兩者之間還是存在著極大的差異。

伊集院：在現代的犯罪中，我們很容易看到這樣的事例。

看到這段話，讓我產生了以下幾個想法：

「認為自己是天才的想法，容易鬧出大事。」

「儘管沒有任何道理，但有些人就是覺得自己可以去殺害其他普通人。」

「這種事情在今天依然經常發生。」

於是從**筆記 C** 中，我延伸出了**概念 C**。

概念 C

一個人若覺得自己「很優秀」，就容易毫不在意地犯下踐踏他人權利的事情。時至今日，社會上仍然有不少人，抱持著這種危險的想法。

筆記「存電腦」，概念「存大腦」

以上就是我從自己記錄下來的筆記中提取出「概念」的方法。

那麼我們又該如何儲存筆記和概念，才能最大限度地加以活用呢？

筆者的做法是，**把「筆記A」、「筆記B」、「筆記C」，儲存在「電腦」裡**。

另一方面，從筆記中提取出的**「概念A」、「概念B」、「概念C」，儲存在「大腦」裡**。

把「概念」儲存在「大腦」中的好處是，比較容易想得起來。

要是把「概念」儲存在電腦裡，很大機率會讓大腦覺得「看來已經沒有記住這件事情的必要了」，而將概念從記憶中「消除」。

對於想要能夠清楚掌握大量「概念」的人來說，我認為**把「概念」和「筆記」同時儲存在電腦裡，會是更好的做法**。

具體來說，就是在筆記裡同時附上，從筆記中所提取出的概念。

你可以在「筆記軟體」中，**建立一個只用於蒐集「概念」的「概念清單」項目，並隨時把概念的內容複製到裡頭**。

這麼做之後，我們就能隨時回頭，只對已經掌握住的「概念」進行檢視，複習自己學到的東西。在閱讀完其他文章後，**瀏覽一下「概念清單」的內容，能夠讓自己清楚地回憶起，已經提取出來「概念」**。

利用掌握的「三個概念」來描繪「世界觀」

接下來，我要列出前面提到的三個，我透過《罪與罰》這本小說所掌握的「概念」。

概念A

「有些人正因為是資優生，所以才具有反社會的傾向」。這種乍看之下讓人很難相信的矛盾，確實存在於人類身上。

概念B

我們很難單純地將某個人劃分為「好人」或「壞人」。每個人身上其實都存在「既有善也有惡」的雙面性。

概念 C

一個人若覺得自己「很優秀」，就容易毫不在意地犯下踐踏他人權利的事情。時至今日，社會上仍然有不少人，抱持著這種危險的想法。

我會像這樣，藉由把自己所掌握住的「概念」攤開看，來理解杜斯妥也夫斯基所生活過的那個世界。並且大致觸碰到了，那個世界整體還不算清晰的「形狀」。

我把這個「形狀」稱之為**「世界觀」**。

關於「世界觀」，筆者在序章時曾以非洲的莽原為例做過說明。**「世界觀」指的是一幅，我們用來認識整體世界的「圖像」。**

只要能掌握住不同的「概念」，就可以勾勒出一個完整的世界。

相信藉由把《罪與罰》的「三個概念」，像這樣羅列出來後，大家都能看到**「杜斯妥也夫斯基的世界觀」**。

我個人所勾勒出來的「杜斯妥也夫斯基世界觀」如下。

世界觀 1

人類總是在善與惡之間來回搖擺。

就算是資優生，也可能具有反社會的傾向。

當一個人誤以為自己是善的，想把自認為是惡的事物給除掉時，反而可能讓自己成為惡的那一方。

善與惡之間的對立，不存在絕對的關係。

利用「世界觀」來培養自己的「知肉」

在繪製好「世界觀」後，我們還要更進一步往前推進。

也就是**利用「世界觀」來培養自己的「知肉」**。

對於「知肉」，我們應該像培養身上的血液或肌肉那樣，把描繪出的「世界觀」，應用於個人的工作、生活方式、行為準則以及實踐人生目標上。以此來建立一個只屬於自己的活用方式。

我們要把「世界觀」印刻在自己的心中和腦中。

從「世界觀1」，我「培養」出了「知肉1」。

知肉1

一個人不應該一廂情願地認為，自己的所為是「絕對的善」。
去認定且批判某個人是「惡」的，絕非一件好事。
我們應該把「人類總是在善與惡之間搖擺不定」這個事實銘記在心。

走到這一步，《罪與罰》這部小說的內容，已經牢牢地印刻在我的腦中了。

讓「突然想起」與「多元概念」相互連結

筆者透過《罪與罰》培育出的知肉可不只上述這一項而已。

《罪與罰》的譯者，同時也於《一百分的名著》這個節目中講解《罪與罰》的龜山郁夫先生，於二〇〇九年出版了《杜斯妥也夫斯基——共苦力》一書。

在這本書中龜山先生提到，他認為《罪與罰》的那個時代，和二十一世紀的今天，存

『ドストエフスキー共苦する力』
（杜斯妥也夫斯基——共苦力）

在許多相似之處。

下面這段短文，便是我從該書（紙本書）中所摘錄出來的內容（筆記D）。

筆記D

出現在《罪與罰》故事裡的犯罪，和頻繁發生於今天日本社會中的「無差別大量殺人」事件之間，或許存在著共同之處。

「無差別大量殺人」指的是像二〇〇八年發生在東京秋葉原，造成七名行人死亡的路上殺人事件這類。犯下這起案件的男性犯人當年二十五歲，根據媒體報導指出，他在社會上相當孤立。

除了這起事件外，二十一世紀的日本還發生過有八名小學生遭到殺害的大阪「池田小學事件」；造成三十六人死亡的「京都動畫縱火案」；以及有十九名住在「津久井山百合園」的智能障礙者遭到殺害的事件等。

龜山先生在他的書裡提到：「這些事件和《罪與罰》之間，似乎存在著關聯性。」

因此從筆記D中，我得出了**概念D**。

概念 D

《罪與罰》故事中男主角的思考方式，和在現代犯下「無差別大量殺人」案件的犯人心中所抱持的觀念，存在著共通之處。

筆者在得出**概念 D** 時，雖然沒有進一步往下繼續延展。

但因為我總是把「概念」存放在自己的腦中，所以只要遇到一些小事的觸發或契機，就會突然回想起之前已經掌握住的概念。

我覺得這種**能讓自己容易「突然想起」什麼的能力，非常值得重視**。

和「概念」連結後，就能產生「新世界觀」和「新知肉」

二〇一六年，日本發生殘忍的「津久井山百合園事件」。

犯下這起案件的犯人，曾說出震驚社會、令人髮指的歧視性言論。

例如：「沒有辦法表達自己意見的身障人士就算活著，也只會給這個社會造成困擾，所以我覺得把他們殺掉也無所謂。」

我在電視新聞上看到犯人這段發言後，突然回想起**概念 C** 的內容：「一個人若覺得自己「很優秀」，就容易毫不在意地犯下踐踏他人權利的事情。時至今日，社會上仍然有不少人，抱持著這種危險的想法。」

概念 C 讓我聯想到「山百合園事件的犯人和《罪與罰》的主角拉斯柯尼科夫之間，好像有些相似之處」，接著我又更進一步去思考：「當時的俄羅斯和今天的日本社會之間，是否也存在著類似的地方？」

順著這個思路向下走，**概念 D**：「《罪與罰》故事中男主角的思考方式，和在現代犯下「無差別大量殺人」案件的犯人心中所抱持的觀念，存在著共通之處。」便不經意地浮上我的心頭。

於是我去資料中找筆記 D，再次確認這是源自龜山先生所著的《杜斯妥也夫斯基——共苦力》中的內容。接著我走到書架前，找出之前買過的這本書，發現了以下這段文字敘述：「在《罪與罰》成書不久之前，俄羅斯才剛剛公布了農奴解放令，這個命令讓貧苦的農奴成為自由之身。然而自由卻也讓原本在基督教教義下，過著貧窮卻能自給自足生活的農奴們，突然間頓失依靠。」

由此可知，得到自由不一定等於能讓自己變得更加幸福。

看到這段文字後，我又回想起儲存在腦中的另一個**概念 E**。

雖然我無法立刻想起概念 E 源自哪一份筆記，但卻記得內容。

概念 E

戀愛自由化之後，無法談戀愛或不受異性歡迎的男性，反而變得不幸了。能夠享受自由戀愛樂趣的人僅限於「戀愛強者」，亦即異性緣極佳的男女。

二戰爆發前的日本社會仍然相當封建，但二十一世紀的日本卻很自由，每個人都能以自己喜歡的方式來過生活，與任何人談戀愛。在這一點上，今天的日本好像和頒布了農奴解放令後，農奴獲得自由的十九世紀時期俄羅斯，有著相似之處。

思考至此，筆者開始描繪新的「**世界觀 2**」。

世界觀 2

自由不必然就一定會招來幸福。有些不幸或壓抑，反而是因自由而起。

以**世界觀 2** 為基礎，我進一步培育出了自己的**知肉**2。

知肉2

人們不應該單純地認定自由就是個好東西。而是應該要經常自問，自由能為我們帶來什麼。

以上就是我從**「突然想起」**發展到與**「多元概念」相互連結**的例子。

在這樣的過程中，我們會有**「新的收穫」**，得到**「新的世界觀」**以及**「新的知肉」**。

培育「知肉」的四個步驟

行文至此，我已以杜斯妥也夫斯基的《罪與罰》為例，把我閱讀該小說的過程分為以下四個步驟，並加以說明了。

① 以「做筆記」的方式，記錄下小說中重要的內容。
② 透過自己做的筆記來「抓住概念」。

③ 藉由蒐集到的概念，來「勾勒出世界觀」。
④ 用世界觀「培育知肉」。

《罪與罰》之所以能被視為世界名著，原因之一在於，讀者可以在閱讀該小說的過程中，一次完成這四個步驟。

這個世界上雖然有大量的書籍，但並非每一本書都擁有「世界觀」。**只有極少數的書，擁有能以「一己之力」，幫助讀者培養「知肉」的實力。**

其實不只是書，不同媒體上所刊登的文章也是如此。我在第四章裡已經說明過，只要願意大量閱讀文章，就能幫助自己不斷累積，從文章中提取出「概念」。

儘管單篇文章中所蘊含的「概念」，看起來或許相當微不足道。無法和《罪與罰》裡大量的「概念」相提並論，但積沙總是能成塔的。

當積累的「概念」越來越多，且彼此之間能夠相互產生連結，我們就有能力「勾勒出屬於自己的世界觀」。

而在形成了個人的「世界觀」後，我們也就能培養自己的「知肉」了。

最後，如何經常提醒自己在日常生活中執行前述這套流程，最為重要。

將不同知識連結在一起的方法
——無意識裡的「小人們」

熱心的「小人們」會在「無意識領域」中，把不同的知識連結在一起

在這一節裡，我想和大家分享另一個重要的觀念，那就是**能夠在我們腦袋中，把「眾多概念」給連結在一起，進而形成自身「世界觀」和「知肉」的，其實是我們的「無意識領域」**。

「無意識領域」和自我意識互不干涉，**前者能無預警地讓不同的資訊發生衝突、引起火花，使「新的觀點」從天而降般湧現出來**。

人腦的思考方式其實挺沒有系統的，不太會產生像「因為A是B，而B是C，所

以可以得出「A是C」這樣簡潔明瞭的理論。

然而理論的推導，卻是電腦的拿手絕活。

我們的腦袋不僅和理論沾不上邊，還會突然出現像是「對喔，原來A是F啊！」這樣的靈光乍現。

這種現象用比較耍帥的日語來形容的話，就是「天神降臨了」（神が舞い降りた）。但要注意，把「神」給召喚來的，並非「我」這個自我意識。

「我」是無法掌控這件事情的。

能為我們帶來「降臨」體驗的，**是存在於每個人腦中「無意識領域」裡，那群熱心的「小人們」**。

「小人們」和自我意識之間沒有關係，他們能讓存在於概念和概念之間的神經細胞碰撞出火花，或是突然將它們連接在一起，這就是所謂的「降臨」。

那些在「我」這個自我意識領域中無法想像到的事情，在「我」無法掌控的無意識領域中的「小人們」卻能辦到。

為了讓「無意識領域裡的小人們」工作，要先把「食物」準備好

這裡來複習一下我在前面說過的內容。把資訊轉化為「知肉」的步驟如下——

①「儲存在電腦」裡的檔案資料無須刻意整理。
②從這些檔案資料裡提取出「概念」，將其「保存在腦中」。
③不同的新聞、事件或思考，都能成為契機讓儲存在我們腦中的「概念」被「突然想起」，重新喚起記憶。
④不同的「概念」藉由「無意識領域裡的小人們」的幫助，能相互連結在一起，讓「世界觀」和「知肉」自動找上門來。

每當我出版新書時，都會接受不同媒體的採訪。

訪談過程中，我經常被問到類似下面的這個問題：

「佐佐木先生寫這本書的靈感來自哪裡呢？」

其實，這個問題一直挺困擾我的。

「說真的，我自己也不是很清楚耶……可能來自於偶然的靈感吧！」

「還是說有什麼契機促成您執筆寫作呢？」

「或許真有所謂的契機吧！但因為那只會出現在無意識之中，我自己本身並沒有特別在意。」

每當我說完前面這句話之後，有些訪談者會偏著頭，臉上露出「這個人到底在說什麼啊？」的表情。

但「降臨」真的就是這麼一回事，那並非出自自我意識所做的思考。

保存在腦中大量的「概念」，會在人們接觸到某些新聞、事件或思考時，讓我們「突然回想起來」，然後再藉由「概念」和「概念」之間的相互混合，進一步孕育出「世界觀」和「知肉」。

以上這些，**全都是「無意識領域裡的小人們」能為我們完成的事情**。

若想打造一個**更適合讓「無意識領域裡的小人們」自由工作的環境，就得為他們準備好「糧食」才行**。

雖然我們無法隨心所欲地控制這群「小人們」，**但卻可以打造一個讓他們能夠自由自在、大展身手的環境**。

究竟為了讓「小人們」能自由地工作，到底要做些什麼才好呢？
有關這方面的事情，留待下一章說分明。

NOTE

第7章

藉由「二刀流」，讓大腦保持乾淨狀態

——用什麼工具，才能徹底提升處理日常雜事的效率，攢出時間？

應盡可能去除腦中繁雜的噪音

我曾在上一章說過，能夠將腦中「多樣的概念」連結在一起，使其形成「世界觀」和「知肉」，讓「新想法」可以「降臨」到我們身上，都得感謝那些「在無意識領域裡辛勤工作的小人們」。

既然這群小人們這麼厲害，那我們該怎麼做，才能讓他們可以更自由且主動積極地，為我們提供服務呢？

在後文中我們會提到，乾淨、整潔、一塵不染的空間，對這些小人來說，是最佳的棲身環境。**所以為了他們，我們應盡可能地去除自己腦中繁雜的噪音。**

然而，我們其實也沒有必要把一切都弄到「一塵不染的程度」。

重點在於，**懂得如何區分「雜亂」和「整潔乾淨」，並加以活用**。

藉由「二刀流」，讓大腦保持乾淨——「資訊混雜沒關係」，但「腦內要保持乾淨」

我工作桌上所放的東西

我在前文中提過，**保存在電腦裡的檔案資料，就算亂亂的也不要緊**。不只是電腦，只要自己能夠簡單地找到想要的資訊，那麼工作桌或書架上亂一點也無妨。

總而言之就是，只要**不妨礙自己找到想要的資訊，就沒問題了**。

筆者的工作桌，桌面上整理得很乾淨，或者可以說是幾乎沒放東西。盤點了一下，上頭只有筆電、檯燈、手機充電器，以及放筆和美工刀的小置物盒而已。

我的東西為什麼會這麼少呢？那是因為我**幾乎把所有的文件資料都數位化，儲存在電腦或雲端裡了**。如果在外面拿到其他人的名片或印在紙張上的資料，回到工作室後，我便會立刻將它們掃描並儲存在雲端，然後處理掉原件。

這就是為什麼，我的工作桌上幾乎沒有東西的原因。但與之相反的是，我存放在雲端空間裡的檔案資料，卻相當凌亂。

對數位化不感興趣的人，就會好好地保管實體文件資料，將其擺放在桌面或書架上。

正如我在前面提到過的，若這麼做依然能讓自己在需要時容易找到資料，那麼倒也無妨。

但我希望讀者們能知道——

- **放置「資訊」的地方，就算雜亂也無妨。**
- **連結「概念」和「概念」的腦內空間，要保持整潔乾淨。**

這就是我想介紹給大家的「二刀流」了。

為「神」準備好降臨的條件

我們要為「住在無意識裡的小人們」，準備好名為「概念」的食物。

但要注意，放置食物的地方必須整潔乾淨才行，如此一來小人們才會為我們把不同的「概念」連結在一起。

人們腦中的「概念」如果雜亂又未經整理，就容易摻雜進「感情」和「情緒」，或是不斷增生出像是「今天必須打掃房間」、「得出門購物一趟才行」這類「雜念」。

這些混亂的思緒，都會成為干擾「小人們」活動的阻礙。

因此，**我們應該盡可能去除腦中繁雜的噪音，整理出一片清境地，給這些小人們**。這就像神道教為了讓「神」降臨，會進行的「潔淨儀式」。

專欄

神社是讓神能夠降臨人間的「清淨空間」

古代的日本人認為，神明們飄盪在許許多多不同的地方。

但有時為了人類，祂們也會降臨到地面上某些清潔乾淨的地方。

民俗學家折口信夫在他所著的《古代人的思考基礎》中寫到，日本人會在神降臨的地方，用「注連繩」圍出一個空間。這個空間不允許一般人進入，也不能在裡面種莊稼。

『古代人の思考の基礎』
（古代人的思考基礎）

隨著時代演變，人們在這個空間立起了柱子、搭起了屋頂，於是神社就出現了——這就是神社的起源。

可以說，**神社真正的核心區域，其實是那一片什麼也沒有的空間**。

空無一物的空間雖然並不是「神」，但日本人相信，**神會降臨到這個什麼也沒有的空間裡。正因如此，日本人才會在神社前雙手合十，誠心祈禱**。

當人們以恭敬的態度一心向神明祈求，神就會降臨到人們眼前這片事前已經為祂們所準備好的「空白」處，儘管人類看不到祂們的真身。

我認為我們也應該以充滿誠敬的態度，來面對這些「概念」。

如此一來「神」就會從天而降，為我們帶來新鮮的思考方式和發現。

讓腦袋保持清晰的兩種方法

我們該怎麼做，才能在自己的腦袋裡也拉起神社的「注連繩」，打造出一片像神社那樣「清靜的空間」呢？

在此向大家推薦下面這兩個方法。

①盡可能把對於工作或生活來說有其必要，但對「小人」而言卻是噪音的雜事，從腦中掃地出門。

②丟掉「提高注意力」這種沒用的幻想，讓自己能以更輕鬆的方式，來和「無意識領域裡的小人們」相處。

這兩種方法都有相當具體的實踐方式。

接下來會加以說明。

徹底提高處理雜事的效率——日程管理、工作管理、移動路線規劃、製作請款單

把噪音般擾人的雜事，從腦中掃地出門

首先我建議大家，**盡可能把對於工作或生活來說有其必要，但對「小人」而言卻是噪音的雜事，從腦中掃地出門**。

這些雜事具體來說，包含了：日程和工作的管理、移動路線規劃，以及製作請款單等，這類日常生活中的諸多事項。

確實人們為了讓自己的生活順暢、工作進行順利，非得去處理這些雜事不可。

然而像「啊！還有那件事得完成才行」或「竟然忘了確認那件事情的日程安排了」**這些「雜念」，總是會毫不客氣地影響我們的腦部運作，讓「小人們」無法好好地工作**。

因此我們要做的就是，**盡可能將這些雜事從自己的腦中排除**。**而理想的做法，就是交**

給電腦。

日程管理靠「Google 日曆」，工作管理靠「Microsoft To Do」

我個人都靠「Google 日曆」來做日程管理，並透過「Microsoft To Do」來安排任務和工作的進度。

我會把備忘錄、筆記和要如何前往明天開會地點等內容，儲存在「Google Keep」這個簡易的筆記軟體中，「Google Keep」的好處是，還可以貼上圖片。

「Google 地圖」→「Google Keep」，做出最佳路線規劃

我們可以使用「Google 地圖」來查詢該如何轉乘火車，然後用螢幕截圖的方式，把內容以圖片的形式直接貼到「Google Keep」上。

如果使用者複製貼上的是如何轉乘的文字內容而非圖片，在處理上就會比較麻煩，因為你還得選取出要複製貼上的範圍才行。

除了火車轉乘的順序外，也別忘了把要去的地方周邊的地圖螢幕截圖，同時存放在筆記軟體中。

這樣用不到十或二十秒的作業，就能讓我們出行時得以輕鬆確認該怎麼抵達目的地了。

另外，像是遇到出差或旅行等需要移動的情況時，在網路上購買了新幹線或特急列車的票之後，也別忘了把交易完成的畫面儲存在「Google Keep」裡。

如果再加上預約租車或旅館的螢幕截圖、地方上的公車或火車班次時刻表等資訊，那麼一個類似「旅行筆記」的資料夾就輕鬆完成了。

不增加大腦負擔的最佳方法，就是別花心思去留意什麼或做其他的努力，光用螢幕截圖和複製貼上，就能幫我們完成許多事。

「Google Keep」的多元使用方法

除了前述的雜務資料外，我存放在「Google Keep」裡的東西還有很多。

例如有時我會和朋友租借廚房攝影棚，來舉行與烹飪有關的活動，因此我的「Google Keep」裡也存放著**「食譜一覽表」**。這份一覽表能起到**「備忘錄」**的作用，讓我們不會發生做了與前一次相同的料理這種尷尬事。

除此之外，我的「Google Keep」裡還保存了家裡的地址和電話號碼、用來告訴別人如何抵達我工作室的交通方法、銀行戶頭的帳號、山友們的個資、用於辦理入山證時所需的資料，以及想看和想讀的電影及書籍名單。

我存放在筆記軟體裡的除了每天都會用到的資料外，還有那些「偶爾需要用到，但往往在需要的時候，會忘記的東西」。

製作請款單時，使用「Misoka」最省事

我在製作請款單時，會使用專門的APP來代勞。

過去，對從事自由業的個人來說，製作請款單絕對稱得上是一件麻煩透頂的雜事。但隨著「Misoka」（ミソカ）這類APP的普及，從前惱人的問題，今天已不再令人感到困擾。

「Misoka」是能在下載後，**幫助使用者在網頁上製作請款單的收費服務，服務內容中還包含了郵寄在內**。如果對方是使用者之前已經有過往來的客戶，那麼連一分鐘都不用，就能透過「Misoka」完成一份請款單。使用「Misoka」不但可以免去每次都去查客戶地址和郵遞區號的麻煩，還能省下自己貼郵票和跑郵局寄件的成本。

讓腦袋維持清晰的方法2

把瀏覽器分為「資訊類」和「雜務類」來使用

根據不同用途分開使用
——把瀏覽器分為「資訊類」和「雜務類」

我到目前為止向大家所介紹過的網路服務，大部分都要透過瀏覽器來操作。

我的電腦中有兩種瀏覽器，我將其分別稱為「資訊類」和「雜務類」瀏覽器，在使用上有著明確的區分。

❶資訊類瀏覽器

雖然使用任何一種瀏覽器都好，但我個人是把谷歌的**「Chrome」，當成「資訊類瀏覽器」來使用**。

我會把「Feedly」、「Poecket」以及「Buffer」這類，**在處理資訊時會用到的網頁，都固定在瀏覽器上**。

另外像「華爾街日報」和「COURRiER Japon」這類**付費閱讀的線上刊物，也會將其固定在瀏覽器上**。

❷雜務類瀏覽器

「火狐」（Firefox）是我的「雜務類瀏覽器」。

筆者固定在火狐上面的分頁有：Yahoo 氣象、Netflix（網飛）、Goodle Keep、Facebook、Google 日曆、Facebook Messenger、Gmail、亞馬遜、Notion 以及 Google 雲端硬碟等。

除此之外，不是每天都會用到的網站，例如「Misoka」、各式火車訂票網站以及網路銀行等，我也會將其匯入瀏覽器的書籤裡。

這些「雜務用分頁」，幾乎已經涵蓋了我在日常生活中，會面對的所有雜事了。

紙本文件和名片的保管方法

紙本資料，請在拿到後立刻掃描

筆者在前面說過，我在拿到紙本或PDF的文件資料後，**會立刻將它們全部掃描歸檔**。除了文件資料外，**名片、電影宣傳單或雜誌等，我也一樣會對它們全部進行掃描，以數位資料的方式儲存起來**。

身為一名新聞工作者，我會遇到很多人、閱讀大量的資料，也會接觸到許多不同類型的電影、書籍和音樂。

過去，我和與我從事相同工作的人，工作環境中往往堆滿了他人的名片，以及經過剪裁的雜誌內頁、小冊子、記者會拿到的資料等，數量龐大的紙本資料。

然而現在，**我的工作空間裡除了放實體書的書架外，工作桌上已經沒有堆積如山的紙**

類資料了。

我的工作桌是一張大型的方餐桌，桌面上只有筆電、檯燈，以及用來收納原子筆、裁紙刀、便利貼等東西的木製托盤而已。

向大家推薦一款我愛用的掃描器

我所使用的掃描器為專門用於掃描書面資料的**「文件掃描器」**（Document Scanner）。而富士通的「iX100」掃描器，是我工作上的好夥伴。

這款掃描器不需要用線路和電腦連接，只要在有 Wi-Fi 的環境下，掃描器和電腦就能連動，自動把掃描好的檔案傳送到雲端保存。

「iX100」的長度只有三十公分，外型成棒狀，完全不占空間。我們可以把它放在不礙事的地方，等要使用時再拿出來就行了。而且「iX100」的電池容量很大，真的需要充電時，用 USB 接上電腦就可以。

如果使用者的電腦上有安裝「Evernote」這個筆記軟體的話，該軟體還能與「iX100」同步，直接把掃描好的檔案儲存到裡面。

若使用的是「Evernote」以外的 APP，在完成資料掃描之後，同樣可以藉由把檔案儲存在雲端的方式，來**自動同步將掃描好的檔案，以PDF形式，儲存到自己的電腦中**。

最後我們動手的，就只剩下把檔案複製貼上到「筆記軟體」即可。

名片管理也是超簡單

如今，名片管理也幾乎已經達成自動化了。

我只要和別人交換名片，回到工作室後第一件會做的，就是掃描存檔。

我會把掃描好的名片儲存在「筆記軟體」中，然後把對方的「公司名稱」，以及與他見面的「日期」和參與的「活動」等，全都記錄在檔名上，並為檔案標記「名片」的標籤。

這樣的作業，通常不到五分鐘就能完成了。

一旦完成這項作業，日後我只要透過公司名稱來搜尋就能找到名片。另外「筆記軟體」因為還能以「名片」這個標籤，來讓名片檔依時間的前後來排列，所以有時我也能**以「和那個人碰面的時間，好像是在去年夏天」這樣朦朧記憶，來找出名片**。

活用「熊掌記」撰寫筆記和原稿

使用「熊掌記」撰寫筆記和原稿的理由

我喜歡使用「熊掌記」（Bear）這個文章編輯軟體來撰寫和儲存原稿、記錄思考時靈光一閃的內容，以及為讀過的書留下內容概要。

「熊掌記」和其他文章編輯軟體的不同之處在於，**它不只可以保存原文，還能自動儲存整篇文章的格式結構**。

舉例來說，如果我在「熊掌記」裡建立了「電子雜誌」這個項目，那麼所有我過去在裡頭所寫過的內容，都會依序儲存在「電子雜誌」裡。

而在另一個「專欄靈感」的項目中，所有可能讓我用於撰寫專欄文章的筆記或備忘錄內容，也會依時間序列來做排列。

就連這本書的原稿，我也是用「熊掌記」書寫的。

另外，「熊掌記」可以使用「Markdown 語法」來操作。「Markdown 語法」是一般用於設計網頁時，可以簡單地讓文字內容呈現出「粗體」、「標題」、「底線」、「刪除線」、「數字排序」和「引用」等效果的標記語言。最近，有越來越多的文字編輯軟體，都已加入了此一語法功能。

舉例來說，使用「熊掌記」時，如果在行的開頭打上「#」這個符號並按一下空白鍵，那麼該行文字就會成為標題並以粗體顯示；而如果在該行的開頭打上「>」並按一下空白鍵，那麼這行文字就會顯示為引用內容。

如前所述，使用「Markdown 語法」能夠讓文字以粗體呈現為標題，或是標記出哪一部分是引用的內容，這對創作者日後重新回去閱讀之前所做的筆記或原稿時，能夠起到一目了然的作用。

「熊掌記」另一個重要的功能是，**會自動儲存所有的文字內容**。就算不去按「儲存檔案」，**「熊掌記」也會為使用者自動把文字內容以雙保險的方式，儲存到電腦、手機以及雲**

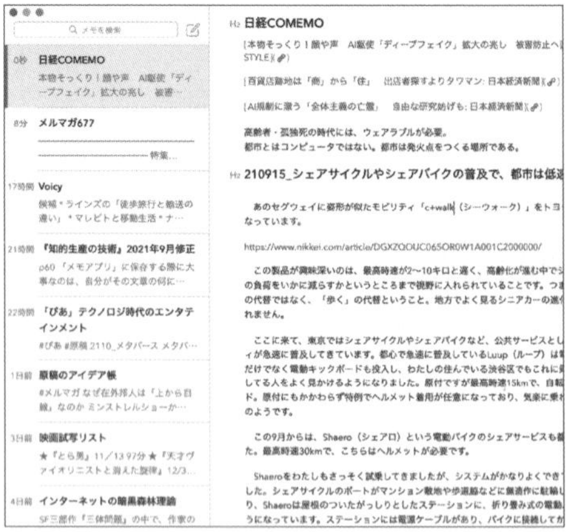

「熊掌記」的畫面：依時間序列儲存的筆記和原稿內容。

端上。

因此，當我們在電腦上的作業告一段落外出時，仍然可以在搭電車時，打開手機裡的「熊掌記」ＡＰＰ，接著剛才在電腦上的作業，繼續做下去。

如此一來不但可以減少時間的浪費，**還能為我們消除「寫完東西後一定要記得存檔」或「原稿應該不會消失吧？」這些心裡的不安，讓我們的大腦可以一直保持在不被雜事干擾的狀態**。

「雲端」的存在，是為了讓我們從雜務中解放、活得更好

像這樣，**我透過把所有的作業雲端化，將絕大多數的雜務都交給ＡＰＰ處理，以此方式來保持頭腦的清晰**。

不久之前，我在推特上分享了類似上一段的內容後，有人回文揶揄我：「佐佐木先生要不要也把自己的心給雲端化啊（笑），如此一來不是更省事嗎？」

或許這個人只是想逞一下口舌之快吧？但我認為，會說這

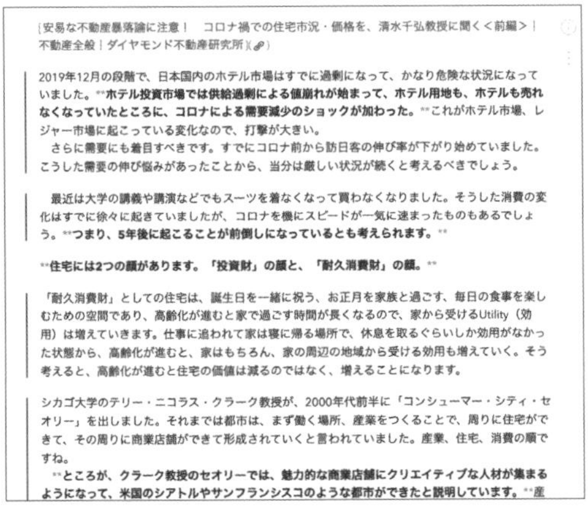

[安易な不動産暴落論に注意！　コロナ禍での住宅市況・価格を、清水千弘教授に聞く＜前編＞｜不動産全般｜ダイヤモンド不動産研究所]

2019年12月の段階で、日本国内のホテル市場はすでに過剰になって、かなり危険な状況になっていました。**ホテル投資市場では供給過剰による値崩れが始まって、ホテル用地も、ホテルも売れなくなっていたところに、コロナによる需要減少のショックが加わった。**これがホテル市場、レジャー市場に起こっている変化なので、打撃が大きい。

さらに需要にも着目すべきです。すでにコロナ前から訪日客の伸び率が下がり始めていました。こうした需要の伸び悩みがあったことから、当分は厳しい状況が続くと考えるべきでしょう。

最近は大学の講義や講演などでもスーツを着なくなって買わなくなりました。そうした消費の変化はすでに徐々に起きていましたが、コロナを機にスピードが一気に速まったものもあるでしょう。**つまり、5年後に起こることが前倒しになっているとも考えられます。**

住宅には2つの顔があります。「投資財」の顔と、「耐久消費財」の顔。

「耐久消費財」としての住宅は、誕生日を一緒に祝う、お正月を家族と過ごす、毎日の食事を楽しむための空間であり、高齢化が進むと家で過ごす時間が長くなるので、家から受けるUtility（効用）は増えていきます。仕事に追われて家は寝に帰る場所で、休息を取るぐらいしか効用がなかった状態から、高齢化が進むと、家はもちろん、家の周辺の地域から受ける効用も増えていく。そう考えると、高齢化が進むと住宅の価値は減るのではなく、増えることになります。

シカゴ大学のテリー・ニコラス・クラーク教授が、2000年代前半に「コンシューマー・シティ・セオリー」を出しました。それまでは都市は、まず働く場所、産業をつくることで、周りに住宅ができて、その周りに商業店舗ができて形成されていくと言われていました。産業、住宅、消費の順ですね。

ところが、クラーク教授のセオリーでは、魅力的な商業店舗にクリエイティブな人材が集まるようになって、米国のシアトルやサンフランシスコのような都市ができたと説明しています。産

「熊掌記」功能齊全，文章中有標籤、連結和引用的部分，都標示得很清楚。

種話的人其實根本完全不了解，「雲端化」真正的意義是什麼。

對於個人來說，雲端化真正的意義在於——**藉由這種方式可以把雜務和麻煩事全部往外推，讓自己能把注意力集中在真正應該要認真面對的事情上。**

雲端存在的意義在於，使人可以從雜務中解放出來，讓自己活得更好。

透過雲端，可以讓我們把雜務從腦袋裡清出去，讓腦內空間變得更加整齊清潔，不會堆滿沒有必要的東西。

如此一來，「潛意識小人們」就能從儲存了大量資訊的電腦中，抓出一些真正「重要的資訊」，並且興高采烈地替我們把這些「多元資訊」給重新排列組合。

只要我們能為「小人們」預備好一個乾淨整潔的工作環境，他們也會以辛勤的勞動做為回報。

第8章

活用散漫力，達成「多任務處理」的秘訣

——組合工作項目，累積「短集中」

我們該如何理解「專注力」呢？

認識「散漫力」這種「新觀點」

本書到目前為止，已經對如何處理閱讀所得到的資訊和知識，以及將其轉化為「知肉」的方法，向讀者們進行詳細的解說了。

藉由創造出「對不同的媒體進行分類並加以活用，以此來解讀新聞報導內容」的「流程」，我們可以從中得到「多元的觀點」。

而在閱讀書籍的過程中，我們可以透過「複製貼上」的方式來掌握「概念」，然後將這些概念存放在腦中，以此來繪製屬於自己的「世界觀」，使其成為「知肉」的一部分。然後以「知肉」為基礎，對來自各路媒體的資訊，進行更深度的解讀。

在理想的情況下，讓前述「循環」順利轉動，是我們要努力的目標。而為了達成這個目標，在這一章裡，還要和大家分享另一個重點。

那就是——該以什麼樣的「觀點」，來推動這樣的循環？

只要能靈活應用「散漫力」，工作再多也不擔心

這裡，我要向大家介紹**「散漫力」**這個**看事情的「新觀點」**。

所謂的「散漫力」指的是，**不要勉強自己提高專注力，而是反過來活用自己的「散漫」，來提升個人生產效率**的能力。

最近我經常看到，有人總是抱怨自己「無法集中精神」。**然而我們其實無須提高專注力，只要控制好自己的「散漫」，就能處理好手頭上的工作了**。

除此之外，「散漫力」還能為人們帶來不少好處。

例如：**藉由活用「散漫力」，可讓「無意識領域裡的小人們」，為我們完成出色的工作**。

我在前一章曾說過，**要想讓「無意識領域裡的小人們」動起來，使新的點子和想法能「降臨」到自己身上，我們就得在腦中整理出一片「整潔乾淨」的區域才行**。但除此之外，

還有另一件事情也很重要。

那就是**別緊咬著某件事不放，不要勉強自己提高專注力**。

「靈感」只會出現於沒有集中精神思考的時候

假設目前你正面對著一個，在今天之內必須設法解決的問題。

若你只是脹紅著臉，不斷告訴自己「現在不加把勁不行啊」、「一定得集中精神，想出點什麼」的話，腦中應該很難浮現出什麼好的想法。

這是因為，**「靈感」只會出現於人們沒有集中精神去思考事情的時候。**

相信你應該也有類似下面這樣的經驗吧！

自己想破了頭去思考一件事情時，往往一無所獲。可是一旦到廁所蹲一下、走到戶外散散步、看看天空、站在月臺等車，或是無由來地胡思亂想時，突然間，一些好點子卻霎時「從天而降」般，出現在腦中。

好的想法或點子，絕對不會在一個人眼睛充滿血絲、全神貫注地思考某件事情時，「降臨」到他的身上。**比較理想的做法是放鬆心情，「散漫」點。**

你越是希望能想出一個好點子，好點子就離你越遠。

然而一旦內心不這麼焦灼時，好點子卻反而會轉過身來，輕聲細語地對你說：「你不在意我了嗎？」

想抓住卻抓不到，放棄了之後它卻又走近你——好點子是不是很像動畫片裡會出現的那種傲嬌戀人呢？

因此，**若你真的期待靈感能「降臨」在自己身上的話，就別再把注意力集中在某件事情上了，散漫點反而容易有好結果**。

但有人可能會說，如果我一直跑廁所、到戶外散步看天空、在月臺等電車的話，目前手邊的工作就做不完了啊！

如果是這樣的話，該如何是好呢？

工作分為「靈感」和「任務」

在此有一個重點希望大家能夠注意。

那就是——你可知道擺在自己「眼前的工作」，屬於哪一種類型嗎？

如果不很清楚，那我們就先從分類開始談起。

一般來說，工作的內容大致可分為「構思點子」，以及「製作請款單或報價單等單據」或「用 Excel 來製作文件資料」這兩種類型。

這兩種類型通常被人們混在一起，以「工作」稱之。

然而，從內容的性質來看，這兩種類型的工作，根本是不同的東西。

前者需要從天而降的「靈感」，而後者則不用。若想讓靈感「降臨」到自己身上，那麼不集中精神會比較容易達成；然而要製作各式單據或使用 Excel 來完成資料，沒有專注力則不行。

這還真是個困難的問題啊！

在此，我們先把製作單據和用 Excel 完成資料，統稱為「任務型工作」。

而我們的工作又可以分為「靈感型工作」和「任務型工作」兩種。

> **靈感型工作＝需要想出點子和創意的工作。**
> **任務型工作＝製作單據或用 Excel 來完成資料。**

完成「任務」需要集中精神，但如此一來「靈感」就不會找上門。

讓自己處在散漫狀態下，雖然「靈感」容易降臨，卻也很難完成「任務」。

這該如何是好呢？

思考大轉彎
——只要「任務型工作」能順利，不集中精神也無妨

遇到這樣的情況時，我們就需要大幅翻轉一下自己的思考方式了。

其實，**只要「任務型工作」能順利進行，不集中精神也無妨。**

而所謂只要「任務型工作」能順利進行，不集中精神也無妨，指的是：

在精神無須專注的散漫狀態下，完成「任務」。

並以這種狀態，使「靈感」降臨到自己身上。

然而有人可能會質疑。世上難道有這種「一石二鳥」的好康事情嗎？

不用懷疑，當然有。

至於具體來說該怎麼做才好呢？我會在本章詳細地說明。

進行「多任務處理」的好處

在智慧型手機和網路皆已普及的今天，**現代人的注意力很難集中，不論是工作或打發時間的娛樂，經常都是在短時間內平行進行**。

可以說，**這其實就是一種散漫的狀態**。

這也像是電腦的**「多工處理」**（Multitask）。

可能有不少讀者都聽過「多工處理」一詞，如今不論是電腦、手機或平板，無不是以「多工處理」的方式在運作。

就以智慧型手機為例來說明。

手機不論在人們肉眼可見的部分亦或看不見的部分，無不同時在處理許多工作。當人們在使用某個APP時，手機必須對使用者的操作做出反應；與此同時，許多沒有使用的軟體其實也並沒有閒著。

它們不但接收著來自 Wi-Fi 路由器所發出的電波，藉由藍芽來連接滑鼠和耳機，有時還要播放背景音樂。必須同時處理的事情，可以用「堆積如山」來形容。

儘管如此，做為手機心臟的 CPU（中央處理器），卻只有一個而已。

近年來市面上出現了「雙核處理器」（Dual Core）以及「四核處理器」（Quad Core），就是在把 CPU 中負責運算的處理器增加為兩個或四個，但其實就算這樣，要處理這麼多的工作，依然是「人手不足」。

面對這種情況，CPU 的做法是細分用於計算的時間，也就是以「這段時間來做A工作」、「下一段時間來處理B工作」的方式，依次進行。

由於 CPU 處理事情的速度，快到遠遠超過人類的感受，因此我們很難體會到它是照著順序在處理事情的，但事實確實如此。

以上就是對於電腦「多工處理」所做的說明。

筆者認為，像電腦這樣「多工處理」的原理，**同樣也可以應用在我們每天必須面對的工作上**。

這樣的應用，本書以「多任務處理」（Multitasking）稱之。

盤點「自己必須做的事」

要想實踐「多任務處理」，一開始的具體作法有以下兩點——

> ① **盤點自己必須做的事。**
> ② **確認這些事情是否可進一步細分到每一段「短時間」裡完成。**

首先從**「盤點自己必須做的事」**開始著手吧！

請試著把每天都要處理的文書、事務類工作，列個清單出來。

在此就以身為自由新聞工作者的筆者為例來說明，我每一天都得處理下方列出的這些事情——

> ❶ **蒐集資訊。**
> ❷ **閱讀書籍和資訊。**
> ❸ **製作企劃書、活動方案和口頭發表等，不同的文件資料。**

❹ 撰寫原稿。
❺ 製作請款單、確認個人支出和郵件內容。

然而，真的只有這幾件事情嗎？

當我對**「自己每天坐在電腦前，到底都做了哪些事？」**做了更深入的思考後發現到，其實自己實際上還做了不少與工作無關的事情。

這些與工作無關的事情包含看看推特的推文、Youtube 上的影片，或是在 Kindle 上買些別人推薦給我的漫畫來讀等。

這些事情都可歸類在「喘口氣」裡。

休息一下當然也是我們每個人都需要的，**因此我想「喘口氣」也應該列入前面這份清單裡才對**。

❻ 喘口氣。

接著就讓我們針對這六項內容，來做更進一步的劃分吧！

把工作分為「重的工作」和「輕的工作」

接下來的重點，就是**把經過盤點過後羅列出來的事項，再更進一步區分為「重的」和「輕的」兩項**。

我在本章之後的內容裡會詳細說明，**如何藉由交互反覆地來推進「重的」和「輕的」工作，以完整彌補個人所欠缺的專注力**。

本書到目前為止，已經和讀者們介紹過如何藉由網路來蒐集資料、社群網站的使用方法，以及如何閱讀書籍。而這幾件事，其實都可以再細分為「重工作」和「輕工作」兩個項目。接下來我就繼續以自己為例來做說明。

❶ 蒐集資訊

在筆者於第二以及第四章，介紹過的「Feedly」和「Pocket」使用方法中，同樣能導入前面提到的「輕重」概念。

在此稍微做一下複習，當我們利用「Feedly」和「Pocket」這樣的組合來蒐集資訊息時，可以參照左邊的流程來執行。

透過「Feedly」檢視新聞的標題。

↓

把看起來有閱讀價值的文章收到「Pocket」裡。

↓

用「Pocket」來閱讀文章。

在要讀的文章裡，除了有容易閱讀且篇幅短小的文章或漫畫，當然也存在著內容紮實的長篇大論。就像Youtube裡有較長的影片和短影音一樣。當我們閱讀不同類型的文章時，所花的力氣也不一樣。

「❶蒐集資訊」經過整理後，可再細分為下列四項——

1-1 檢視新聞標題，把要讀的文章收到「Pocket」裡。

1-2 閱讀「輕的文章」。

1-3 閱讀「重的文章」。

1-4 觀看影片。

❷閱讀書籍和資訊

和網路上的文章一樣，書籍依內容也可分為「重的書」和「輕的書」兩種。

另外，當我們在閱讀完一本書之後，別忘了還得把有標重點的地方，轉成筆記儲存下來才行。

因此筆者把「❷閱讀書籍和資訊」再細分為下列三項——

2-1 閱讀「輕的書」。

2-2 閱讀「重的書」。

2-3 寫讀書筆記並存檔。

❸ 製作文件資料

不論是要製作哪一種文件資料，一般人的腦中都不太可能立刻就浮現出好點子，然後下筆如有神助般順利。

通常首先是要面對電腦螢幕或準備一張空白的紙，接著把想到的內容逐一打下或寫在上頭以幫助思考，然後靜待思緒逐漸變得自由靈活起來。

等到越來越多的點子累積在腦中後，就可以開始試著輸出文字或圖片。

最後再對文字進行調整並加上一些視覺元素後，就算大功告成了。

簡單來說，可細分為下列四項——

- **3-1** 透過天馬行空的思考，讓點子在腦內成形。
- **3-2** 把想到的點子轉化為文字。
- **3-3** 為文字搭配上視覺元素。
- **3-4** 對文字內容進行調整，完成文件資料。

撰寫原稿和閱讀書籍相同，也可以分成「輕的執筆」和「重的執筆」。工作上的「撰寫原稿」因為會關係到不同的目的和領域，不容易一言以蔽之，所以這裡我就以自己為例來做說明。

對我來說，**所謂「輕的執筆」指的是來自網路媒體、雜誌等，文字量約在一千字左右的邀稿**。

撰寫一千字左右的文章，不用去考慮「該如何安排文章結構」這類問題。只要腦中出現靈感後，順著這個靈感把內容寫出來就可以了。所花的時間約為一個小時左右。

如果邀稿為文字數約二千字左右的文章時，假使自己已經有完整的想法了，那麼在大部分的情況下，我也能順著所想的內容，一口氣寫出文章來。

然而，面對三千字以上的文章，就很難以「一鼓作氣」的方式來完成了。

雖然不論是要撰寫一千字或三千字的文章，在思考寫作靈感的階段，並無差別。但後者還需要留意：「這個想法有可能展開為一篇三千字的文章嗎？」

如果忽略這一點，很有可能導致寫出來的結構鬆散，變成一篇言之無物的文章。

如果我們把可以一鼓作氣寫完的「一千字文章」視為「一個單位」來看的話，那麼當三個單位累加起來時，作者就需要試著站在讀者的立場，思考**「該如何組織各個單位，才會方便人們閱讀」**。

撰寫長篇文章，絕對稱得上是「功夫活」。

我認為**進行「重的執筆」時，需要分為「首先思考文章的構成」，然後才「正式進入執筆」，這兩個階段來進行。**

原稿撰寫，可細分為下列三項——

4-1「輕的執筆」。

4-2 構思文章的組成方式。

4-3「重的執筆」。

❺ 雜項事務

雜務的組成相當多元，例如：製作請款單、確認個人支出或郵件內容等。但就筆者自身來說，我的工作項目中幾乎沒有「重的雜務」。

當然，大家若有「重的雜務」需要處理，可以像我所建議的那樣，試著把所有的雜務攤開，進行一次盤點分類。

雜項事務，細分為下列兩項——

5-1 「輕的雜務」

5-2 「重的雜務」

❻ 喘口氣

和前面五項相比，「喘口氣」要單純多了，**不用將其分為「重」和「輕」**。

每個人喘口氣的方法都不一樣。

我個人在休息時喜歡做的事情還不少，例如：看推特和臉書上的發文、使用「Spotify」聽聽新的音樂、在 Youtube 上看 MV 等，做這些事都能讓我感到輕鬆愉快。

到此，相信大家都已經做好盤點，將工作分為「重」和「輕」兩類了吧？

我把自己的結果整理成下一頁的圖表。「多任務處理」的準備階段到這裡就算告一個段落了。

工作先從「輕」的開始，然後往「重」的推移

把「重的工作」和「輕的工作」分開後，只要將兩者穿插著交互處理，我們就能夠在不用多費勁的情況下，保持個人的專注力了。

若一直埋首處理「重工作」，容易積累疲勞使其達到臨界點，讓本來就難以持久的專注力更容易渙散。

反之，如果一開始就專挑「輕工作」這種軟柿子來吃，把困難的活都擺在後

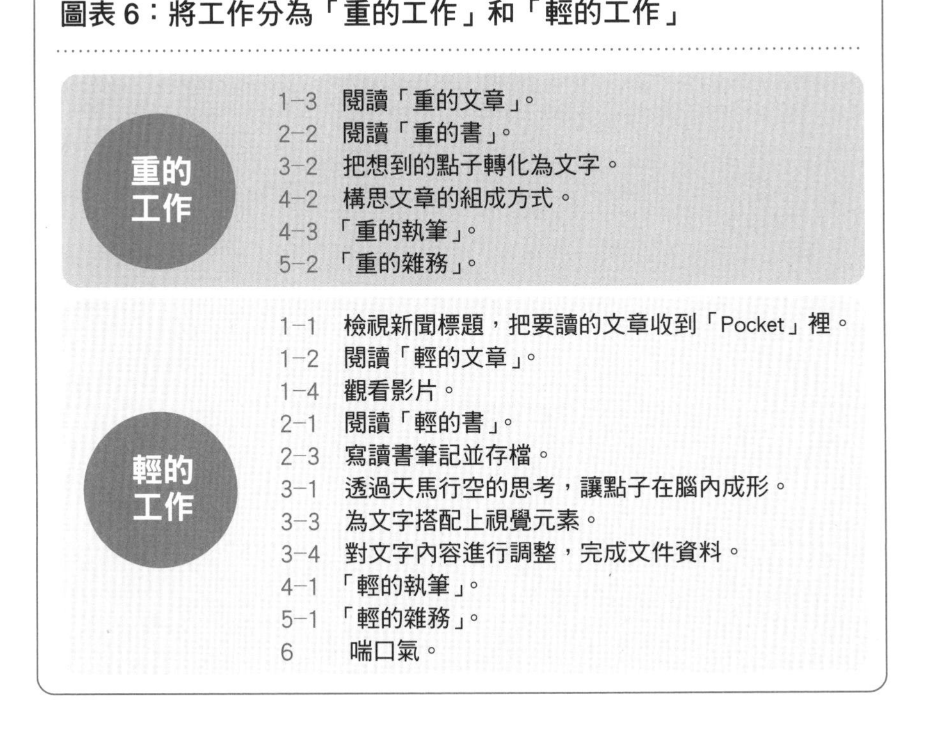

圖表 6：將工作分為「重的工作」和「輕的工作」

頭，結局是我們終究得面對那些被延後處理的「重工作」。

由此便可知，交互處理「重工作」和「輕工作」的重要性了。

我認為，**展開工作之初，不妨先從「輕的工作」開始著手**。

剛開始要面對工作時，我想大部分的人心情應該都還很鬱悶吧！在「好吧，開始工作囉」的時候，馬上處理「重的工作」，只會讓人欲振乏力。

因此，我們就首先從「輕的工作」開始，接著再去處理「重的工作」吧！等到處理「重的工作」讓自己感到疲憊之後，再回過頭去做「輕的工作」。

如此循環往復，準沒錯。

找出能讓工作順利推進的「時間間隔」

該如何設定「最適間隔」呢？

接著，讓我們來設定**有助於自己完成工作的「時間間隔」**（Interval，維持專注力時間的長度）吧！

「時間間隔」若設定得較長，能讓人好好專注地來處理一項工作，不用為應付其他事情切換大腦的運作，但其缺點是，專注力容易在過程中消失。

反之，如果把「時間間隔」設定得短一些，雖然可能會出現專注力不足的情形，但因為不斷更換工作內容能帶來心情的轉換，反而可以增加整體的工作量。

總之，**如何設定「時間間隔」的長度，對於工作來說相當重要**。

著名的「番茄工作法」

「設定時間間隔來完成工作」這樣的想法其實在過去就已經有了，其中又以**「番茄工作法」**（Pomodoro Technique）最為世人所知。

「Pomodoro」為義大利語「番茄」之意，一般日本人看到「Pomodoro」這個字時，我想腦海中浮現的，應該都是義式料理店提供的番茄義大利麵吧！

可能有人會好奇「番茄和工作技巧有什麼關係呢？」話說，提出該工作法的是一位名叫法蘭西斯科・西里洛（Francesco Cirillo）的義大利人，「番茄工作法」源自他使用番茄造型的廚房用計時器來設定工作時間而得名。

「番茄工作法」以「二十五分鐘的集中精神」（一個番茄鐘）搭配「五分鐘的休息」，合計三十分鐘為一單位。透過反覆執行這樣的循環來工作。

人們只要事前列好工作清單，接著就能依「番茄工作法」來完成工作。

然而實際採用「番茄工作法」時，有幾個需要實踐者遵守的規定，例如：「番茄鐘進行時不能中斷」。

也就是說，**「二十五分鐘的集中精神」是必須嚴格遵守的規矩，把二十五分鐘改為一**

半或四分之一都不可以。「番茄工作法」中「時間的最小單位就是一個『番茄鐘』（二十五分鐘）」。

「麻煩」或「複雜」的方法，難以長期執行

在西里洛所著的《間歇高效率的番茄工作法》（*The Pomodoro Technique*）中，出現不少像上一節所提到的那樣，充滿嚴格規定和限制的內容。

例如書中有提到，一天的工作設定以六番茄鐘為基準，不能少於五個，也不可以超過七個。為了要符合這樣的設定，必須於事前對工作進行精準的切割才行。

如果有一項工作所需的時間不到一番茄鐘，還得找其他工作來和它拼湊在一起，以達成番茄鐘的時間設定。

說真的，我對番茄工作法的想法是：「實在太麻煩了！如果真的有人能夠完美地實踐『番茄工作法』，那麼我覺得這個人就算不使用這個方法，也絕對擁有足夠的專注力來完成自己的工作」。

附帶一提，我覺得**「番茄工作法」並不適用於多工處理**。

『どんな仕事も「25分+5分」で結果が出る ポモドーロ テクニック入門』
《間歇高效率的番茄工作法》

因為把工作列表，然後按照順序完成的工作方式，與其說是「多工處理」，更接近「直線型的單任務處理」。

筆者所建議的「多任務處理」，在實作上要比「番茄工作法」柔軟得多。

專欄

結實的東西其實才容易壞——「脆弱」的反意詞是什麼？

「結實又堅硬的東西其實才容易壞」。

前面這段內容是全球知名作家納西姆．尼可拉斯．塔雷伯（Nassim Nicholas Taleb）透過他的著作《反脆弱：脆弱的反義詞不是堅強，是反脆弱》（*Antifragile: Things That Gain from Disorder*）想傳達的理念。

塔雷伯認為「脆弱」的反意詞不是「堅強」。

雖然「堅強」的東西受到外力衝擊時不容易彎曲或變形，但卻可能突然啪地一聲就斷了，堅硬的鐵板就是這樣的東西。

和鐵板相比，儘管橡膠板既不堅硬又容易扭曲，但卻不太會在接受了強大的外力衝擊後立刻斷開。

『反脆弱性　不確実な世界を生き延びる唯一の考え方／上・下』
《反脆弱：脆弱的反義詞不是堅強，是反脆弱》

這是因為橡膠板能藉由扭曲變形的方式，來面對衝擊所帶來的影響。

塔雷伯稱如橡膠般，能在受到外力衝擊時，自由改變形狀的東西為「反脆弱」和「反脆弱性」。

「脆弱」的相反不是「堅強」，而是「柔軟的反脆弱性」。

我所提倡的「多任務處理」既不「堅強」也不「嚴謹」，它看起來軟趴趴的，相當地鬆散。

然而也正因如此，可以說反而具有「反脆弱」的特性。

對很難集中精神且不擅長整理東西的人來說，我的做法能讓他不用勉強改變自己，也可順利地完成工作。

究竟該如何設定工作的時間間隔才好呢？

在回到這個主題之前，我想先詢問一個問題——你認為自己的專注力最長可以維持多久呢？

我在序章曾提過，專注力「只能維持三十秒」的人，應該不多。

反之，除了自己喜歡的業務內容，還能對某項工作保持超過一個小時專注力的人，應該也難得一見。舉例來說，**我的上限就是三十分鐘**。

這裡我想強調的是，**所謂「最合適的時間間隔」會因人而異**。每個人固然都不一樣，**而且每個人每一天的身體狀態和心情也不相同**。遇到前一天貪杯喝多了或是睡眠不足時，可以試著縮短時間間隔；而在身心狀態絕佳的日子，則不妨延長時間間隔。

由此可知，**時間間隔並非事前就決定好的固定數值，而是要配合當下情況，來做延長或縮短的調整**。

從「三分鐘」開始執行，最長不要超過「十五分鐘」

筆者從過去到現在，對時間間隔的設定做過許多嘗試。

我覺得**在一天開始要進入工作狀態時，首先設定「三分鐘」的時間間隔，是一種值得推薦的做法**。

等到三分鐘的專注力能夠維持住之後，再循序往五分鐘、八分鐘、十分鐘、十五分鐘推進。

至於間隔時間最長可以設定多久，依然是因人而異。**我的情況是，大部分時候只要超過了「十五分鐘」，專注力就會逐漸衰退，開始分心。**

因此能**確實掌握「自己的時間間隔上限」**也很重要。

時間間隔要配合「最重的工作」來做設定

還有一點要提醒大家的是，**時間間隔要配合「最重的工作」來做設定。**

舉例來說，**如果處理「輕的工作」時，專注力可以維持十五分鐘，但在處理「重的工作」時卻只能維持八分鐘**的話，該怎麼調整呢？

我認為配合工作的輕重逐一調整間隔時間，並不是理想的做法。

因為這樣會導致注意力受到時間設定影響，反而讓自己不易集中精神。

因此在遇到這種情形時，**應該配合「最重的工作」，把時間間隔調整為八分鐘。**

對處理「輕的工作」來說，八分鐘的時間設定，可能會讓自己產生有點「意猶未盡」的感覺。

然而與**「間隔時間太長，從中途開始就無法集中精神」相比，「間隔時間短，覺得有點意猶未盡」會是比較好的狀態**。

這是因為**「意猶未盡」的感覺，對我們能起到重要作用**。

讓「想再多做一下」的心情殘留在心裡

在一般情況下，大部分的人會認為，好不容易集中精神了，如果「中途被打斷」，不是很可惜嗎？

然而實際上，當你在順風順水地進行一件工作時，如果突然被按下暫停鍵，心裡反而會產生：「啊……真想再多做一下！」的「飢餓感」。

這種「飢餓感」，對我們來說很重要。

「哎呀，明明還可以繼續做下去，還能多堅持一會兒的呢！」

在這種情況下暫停進行中的工作，會讓人們的心裡產生「想再多做一下」的飢餓感。

而正因為心裡殘留著「想再多做一下」的想法，它能讓你在進入下一段時間間隔時，燃起一股「來吧！我要一鼓作氣完成這個工作」的幹勁。

飢餓感具有驅動人們「想要工作！」這種心情的動力。

「飢餓感」與**「飽和感」**（「我已經不想再碰這個工作了！」）最大的差別在於，**前者能成為讓人想繼續工作下去的泉源**。

飢餓感能帶來好點子

除此之外，**飢餓感其實還能提高好點子「降臨」到我們身上的機率**。

「還想再繼續推進一下現在正在處理的工作。」

「針對目前腦中出現的想法，想做更進一步的思考。」

像這樣的「飢餓感」，可視為是一種**「鉤子」**或**「線索」**。

只要能讓「鉤子」或「線索」留在腦裡，很多時候我們就會在從事其他工作或稍作休息時，突然進入到先前思考的狀態中。

接著會出現像著名的感嘆詞「Eureka」所描述的情景。在古希臘語中，「Eureka」的意思是：「我發現了！」

據說這個詞彙源自希臘學者阿基米德。有一天當他坐進浴盆，發現能透過測量溢出來的水來計算物體的體積時，從嘴裡迸出了這個感嘆詞。

藉由把自己所面對的課題或疑問留在腦中，我們就有可能像阿基米德那樣，在洗澡時忽然靈光乍現。

在這樣的瞬間，其他已經發生過的事情和體驗，會突然和不同的「概念」相互連結在一起。

反之，如果我們擁有的不是「飢餓感」，而是「已經不想再碰這個工作」的「飽和感」，就有可能發生下面這樣的情況——

今天明明有很多工作必須處理，可是卻被一件棘手的事情給拖住了，結果對其他事只能虛應故事。思考像是進入無限迴圈，雖然腦袋不停地在運轉，卻好像鬼打牆一樣找不到出口。

注意力過度集中在一件事情上，是我們所不樂見的情況。

思考一旦進入死胡同，就產生不了好點子了。

不過，**只要我們能重視「飢餓感」，懂得持續轉換心情，那麼一定能以更好的效率來處理接踵而來的工作，進而提高靈光乍現的可能性。**

專欄

要在對事情「厭煩」前，設定好自我提醒的警示鐘

筆者認為，能夠應用在工作上的技巧，也適用於人生。

一個身患絕症，已是來日無多的人固然不幸，但身處在這樣的狀態下，反而有可能會激發出他「想要活下去」或「想在還有一口氣的時候，完成一些事情」的求生能量。

與前者相比，存款數字和年齡成正比增加，未來看起來四平八穩的人，在精神上，反而可能才是「不幸」的人。

實際上，筆者見過不少年紀輕輕就事業有成，然後透過把公司轉手賣掉或上市取得股票的方式，獲得巨額財富的人。**然而不知道是否因為成功來得太快太早，這些人之中有不少人好像氣力用盡般，過著毫無生氣可言的後半生。**

這樣的人可能是出於對人生的不滿，都老大不小了，卻喜歡在推特或臉書上，針對政治或社會現況發表激烈的言論，看了真令人為他感到惋惜。

「啊，好無聊啊！這種不知道有什麼事好做的人生，不知還要持續多久！」這種對未來的倦怠感，**會讓人越活越消極**。

由此可知，**別讓自己對工作產生厭煩的感覺，也相當重要**。

在即將對某件事情感到厭煩之前，如果有個能發出提示音的鬧鐘，提醒人們應該暫時脫離這種狀態，將有助於調整方向，在往後的日子裡，繼續往幸福邁進。

希望大家在面對每日的工作時，都能不忘設定好，那個會在出現「厭煩」情緒前，提醒自己的鬧鐘。

能夠提高工作效率的工具

提高工作效率的工具 1 計時器可以這麼用

讓我們把話題重新拉回到「多任務處理」的具體實踐上。

當我們把要做的事情全部盤點一遍，接著也設定好工作的間隔時間後，離正式進入工作的環節，就只剩一步之遙了。

然而在正式開始工作之前，還需要準備好兩個工具。

第一個必要的工具是**「測量時間的工具」**。

當然，我們完全沒有必要去購買「番茄工作法」提到的廚房用番茄型計時器來用（我在亞馬遜上一查才發現，這種番茄鐘的銷路還真不錯）。

智慧型手機上的APP，功能已經很齊全了。

我所使用的，是日本研發的免費軟體「List Timer」，它的介面簡單，非常好操作。

使用者只要設定好間隔時間，按下「Start」鍵，就可以無限循環使用了。提醒鐘的聲音也可以選擇，或是替換為手機裡頭的音樂。如果不想看到廣告，還可以花錢購買升級版。[1]

其實只要上網找一下，類似功能的APP真的還不少。

我在使用「List Timer」時，會依據當天的心情，更換提醒音或音樂，享受在間隔時間結束時，聲音所帶來的氣氛轉換的樂趣。

「List Timer」是執行「多任務處理」不可或缺的好夥伴。我工作時，會用 iPhone 來操作這款APP。

提高工作效率的工具❷ 「提醒事項APP」可以這麼用

第二個必要的工具是被稱為**「工作／任務列表」**和**「提醒事項」的APP**。

簡單來說，這類軟體就是把我們需要處理的事項，以表列的方式來呈現。

因為這類型的APP在網路上相當多，所以選擇自己覺得好用的就行了。

至於我所使用的，是前面和大家提過的**「Microsoft To Do」**。

儘管筆者不是微軟的粉絲（我的電腦也沒使用微軟的作業系統），但卻是這個APP

的愛用者，這是因為除了操作方便之外，該軟體還有一個很棒的設計。

「To Do」設計上的特色是，**把工作分成「已計畫」和「我的一天」這兩個項目來做紀錄**。

每天要開始工作之前，我所做的第一件事情就是打開「To Do」，確認一下「已計畫」裡的內容。看看其中有哪些工作，是最近這幾天需要完成的，然後挑出今天必須做的事情，把它們放到「我的一天」裡。

我會把要寫的稿子和企劃案截稿日期以及繳交房租的日子這類日常雜務，在「已計畫」裡先設定好日期。由於繳房租（或其他固定支出）是每個月都要做的事，所以我會使用To Do裡的「重複」功能，將其設定成「每個月」都自動提醒。「重複」除了月之外，還可以設定提醒的頻率為「每天」或「平日」，使用起來相當方便。

然後，在每天早上確認過電子郵件的內容後，如果發現

把預定的工作和完成期限放到列表上

1 審定註：有中文版，直接在App Store或Google Play搜尋「ListTimer」就能找到。

有新的工作，我也會把它們加到「已計畫」裡。

在正式開始進入工作後，我會隨著設定好的時間間隔，來逐一完成手頭上的事情。

在解決一件事情後，我會在「我的一天」裡為完成的工作打個勾，顯示為完成。每當聽到「叮！」這個打勾音效時，我都會產生「重新洗牌」和「被表揚」的快感。

而**這種愉快的心情，又能進一步轉化為激勵自己「想要繼續工作下去」的正向情緒**。

分開使用不同的電子設備

下面我想介紹給大家一些較為細項的實用建議。

目前手上同時擁有電腦、智慧型手機和平板的人，應該不在少數吧？

相信除了上述電子設備外，或許有些人另外還有 Kindle 這類，用來閱讀電子書的閱讀器。既然手上的可用之兵這麼多，怎麼能不將其活用在「多任務處理」上呢？

前面已經提過要「對工作進行盤點」。而工作經盤點後，大致可分為下列這六項——

❶ 蒐集資訊。
❷ 閱讀書籍和資訊。
❸ 製作企劃書、活動方案和口頭發表等，不同的文件資料。
❹ 撰寫原稿。
❺ 製作請款單、確認個人的支出和郵件內容。
❻ 喘口氣。

如果你手上同時擁有不同的電子設備，那麼可以利用個別設備，來完成不同的工作，舉例如下——

❶ 蒐集資訊↓智慧型手機。
❷ 閱讀書籍和資↓平板或電子書閱讀器。
❸ 製作企劃書、活動方案和口頭發表等，不同的文件資料↓電腦。
❹ 撰寫原稿↓電腦。
❺ 製作請款單、確認個人支出和郵件內容↓電腦。
❻ 喘口氣↓智慧型手機。

因為「❶蒐集資訊」和「❻喘口氣」在任何地點都能做，**所以適合用輕薄短小的手機來完成**。

「❷閱讀書籍和資訊」或觀看影片等，適合用**躺著看也不礙事的大螢幕設備，如：平板或閱讀器來執行**。

而「❸製作企劃書、活動方案和口頭發表等，不同的文件資料」、「❹撰寫原稿」以及「❺製作請款單、確認個人支出和郵件內容」，則是**用電腦來處理最理想**。

我在第三二二頁中曾建議大家，可以在電腦中安裝幾種不同的瀏覽器，然後依工作類型的不同，分開使用。

以我為例，因為使用的電腦是蘋果的「MacBookPro」，所以原本就已經安裝好「Safari」這款瀏覽器了。如果是使用微軟 Windows 系統的電腦，「Edge」就是標配。除此之外，「Chrome」和「Fire Fox」也是許多人使用的熱門瀏覽器。

我推薦大家可以依個人的喜好，同時開啟三個瀏覽器來使用。

分類使用的方法如下——

① **用來閱讀文章和做筆記的瀏覽器。**

② 使用實用程式（Utility）來管理訊息、日程安排以及工作的瀏覽器。
③ 用來從事娛樂和社群網站交流的瀏覽器。

分開使用電子設備和瀏覽器，能幫助自己更容易轉換心情

對一般人來說，**分開使用不同的電子設備和瀏覽器的好處在於，可以更容易在切換工作時轉換心情，起到預防自己鬆懈散漫的作用**。

例如：**一旦決定好「我只能在手機上使用推特」，那麼就不要在電腦上安裝推特了**。

這麼做之後，即可斷絕我們在使用電腦製作文件時，想要偷偷打開推特瞄一下的念頭。

若真的要看一下推特，我們就得依序執行拿起放在桌上的手機，解鎖螢幕，然後開啟推特APP的動作。上述這些動作都能做為必要的緩衝，**起到預防自己分心的作用**。

解決「提不起勁做事」的方法

完全沒有幹勁時，該如何是好？

話說，有時我們也會遇到，對工作完全提不起勁的時候。

儘管已經開始執行「多任務處理」了，而且今天確實也有得完成的工作，但自己就是懶得動啊！

遇到這種情形時，該怎麼做才好呢？

大家要知道，**「專注力」是不可能無中生有的**。

如果因為睡眠不足、肚子餓得咕嚕咕嚕叫或遇到傷風感冒等情形，導致無法集中精神，我建議大家此時要做的，應該是好好睡一覺、吃個東西以及去醫院拿藥，然後靜養休息。

然而，有時我們在身體狀況調整好之後，仍然可能沒有想要工作的動力。

如果這時又跑到沙發上躺著，只會使自己越來越不想動，讓專注力離自己越來越遠。

專欄

「Bootstrap」思考法

「Bootstrap」除了「拔靴帶」之外，其實它還是一個電腦用語。

做為電腦用語的「Bootstrap」，所指的是**電腦從開機後，到正式起動 Windows 等作業系統之前，這中間一系列電腦程式會自動執行的過程**。

因為不用人們手動處理，而是由電腦來自動執行的過程，就好像「一個人用手拎著靴子上的拔靴帶，把自己給拉起來一樣」[2]。

所以才產生了「Bootstrap」這個電腦用語。

電腦開機之所以在英語中稱為「Boot」，據說也源自於「Bootstrap」一詞。

2 譯註：這個透過拎拔靴帶把自己拉起來的故事，出自十八世紀的德國作家魯道爾夫・埃里希・拉斯伯（Rudolf Erich Raspe）所著小說《吹牛大王歷險記》（*The Adventure of Baron Munchausen*）。小說中有一則故事寫到，蒙喬森男爵在掉進湖裡萬念俱灰時，想到可以拎住自己靴子上的拔靴帶，把自己從湖中拉起來。當然，現實中這是一種違反物理法則的作法。

執行「多任務處理」，其實也需要上述的「Bootstrap」配合。

在提不起勁工作時，如果還放任自己躺平玩手機，是無法啟動專注力的。

人類其實和電腦一樣，也需要有像「Bootstrap」那樣，能替我們自動執行的程式。

把「不用動腦的工作」當做「Bootstrap」——身體動了，腦袋也會開始運轉

什麼才是人類的「Bootstrap」呢？

如果只用一句話來做說明，那就是**「不用動腦的工作」**。

剛要開始工作時，不妨先從檢視文章標題或處理雜務等，不太需要動腦的「輕的任務」開始做起吧！

一開始所設定的時間間隔也不必很長。

起初的三分鐘先用來檢視文章的標題，接下來的三分鐘用 Excel 來處理文件資料——工作時可以同時聆聽音樂或廣播。

像這樣，**只要身體動起來，腦袋也會開始運轉**。

人的腦袋只要一動起來，就會因不斷吸收氧氣而變得更加活潑。過了一陣子之後，我們就能從單純的工作，逐漸轉移去處理需要動腦的工作了。

「Bootstrap」會在人們沒有注意的時候自動運轉，它能幫助我們，完成通往「真正專注力」的準備。再過一陣子之後，我們就可以開始處理「重的工作」了，此時時間間隔也能進而延長到十五分鐘。

不知不覺中，你就會發現自己的大腦已經回復到全速運轉的狀態了。

反之，**在工作進行得非常順利時，就算「時間間隔」結束的提醒鐘已經響起了，你其實也不需在意它，就讓專注的狀態繼續維持下去吧！**

這就像是人們偶爾會想在高速公路上盡情馳騁一樣。

懂得如何**「隨機應變」，是在執行「多任務處理」時的一個重要觀念**。

藉由「最少的努力」逐步掌握專注力的時間間隔

看到這裡相信你已經明白，「多任務處理」是不和專注力「拚輸贏」的。

我們不用老想著要如何才能「提高專注力」，而是要接受自己其實很難集中精神，然

後藉由「最少的努力」來逐步掌握能讓自己保持專注力的時間間隔。

前面這句話的重點是**「最少的努力」**。

越是努力想要達成什麼時，我們的心和腦反而越會被那件事情牽絆住。

經常出現的情況是，人們會把「提高專注力」做為目的，但卻忘了：「我們是要用專注力來做什麼呢？」

這是喜歡閱讀心理勵志或「Know-How」類書籍的人，經常會犯的錯誤。典型的**把「目的」和「手段」給弄反了**。

在我們承認自己沒有專注力之後，反而能讓大腦保持在清明的狀態。

如果長時間不行，**我們也可以透過把時間間隔從「十五分鐘縮短為五分鐘」的方式，在短時間內為自己創造出整潔清淨的腦內空間。如此一來，還能讓無意識裡的「小人們」，自由地為我們工作。**

開始執行「多任務處理」後，我們就不再需要「專注力」了。

看到市面上有那麼多的出版物和媒體，不斷在宣傳「提高專注力的方法」或「只要這麼做，就能提高專注力」，我只覺得「很騙錢」而已。

真正重要的應該是，我們該如何細緻地管控好，專注力集中的短暫時間。

這才是「散漫力」的本質。

我衷心盼望本書的讀者們都能學會如何執行「多任務處理」，透過「散漫力」來完成工作。與此同時，還能讓無意識裡的「小人們」，好好地為我們幹活。最後，每個人都能獲得屬於自己的「世界觀」和「知肉」。

NOTE

結語

「學習」的本質是能把不同的知識「統合」在一起

我認為，**所謂「學習」的本質指的是，能把不同的知識在自己的腦中「統合」在一起**。

如果用一個英語詞彙來表達的話，就是「Integration」。

就算擁有許多豐富的知識，只要無法將其統合，那麼這些知識也只能叫做「雜學」或「小知識」。知識唯有在統合起來後，才能稱之為**「教養」**。

無法將知識統合起來轉化為教養，**「學習」就失去了意義**。

許多日本高中生在學習世界史或日本史時，經常會用類似「建立一個『好國家』的鎌倉幕府，一一九二年」[1]這樣的順口溜，來幫助自己記憶重要的年份。然而我相信，應該

1 譯註：鎌倉幕府成立於一一九二年。這句順口溜中的「好國家」，發音和日語的「一一九二」相近，因此被日本學生用來記憶鎌倉幕府成立的西元年。

有不少人都存在「這種記憶方式有意義嗎？」這樣的疑問吧？

這種學習方式，只是單純地把知識變成「記憶年號」罷了。

如果學生們能夠透過學習，了解到鎌倉幕府在日本史上的意義，以及它對後世所造成的影響，讓這些知識在自己的腦海裡統合起來的話，那麼我相信，這些知識或多或少都能豐富他們的人生。

比「工作與生活的平衡」更重要的事

在我看來，**「統合」這件事情的重要性，可以和我們的生活方式相提並論**。

大家應該都聽過「工作與生活的平衡」一詞吧？

「工作與生活的平衡」提倡「工作不該是人生的全部，人們應當要更多地去思考，工作與生活之間的平衡」。可以說這是對工作過度的人們，所提出的勞動方法改革。

所謂平衡指的是，在工作之外，大家應該把更多私人時間，花在陪伴家人、參與地方上活動或從事運動。

然而**我對「工作與生活的平衡」所提出的訴求，卻從來沒有在意過**。

每天早上七點左右我就會自然醒來，起床後第一件事就是確認電子郵件，然後為當天的工作做準備。正因生活習慣如此，所以我絲毫不覺得自己「連睡覺和起床的時間，都被工作給束縛住了」。

如果星期六、日我沒有安排像登山那種，會需要一整天來從事的戶外活動，通常就會待在自己的工作室裡，用電腦來工作。

週末時因為客戶不會聯絡我，所以不用擔心有人打擾，非常適合拿來撰寫稿件。我正在撰寫本書原稿的此時此刻，時間也是星期天的午後。

有人問我，為什麼連剛起床時和假日都在工作，這樣難道不覺得很痛苦嗎？我的答案是「一點也不痛苦」，而且理由也很簡單。

「因為我沒有被強迫勞動」、「因為我在做自己喜歡的事情」。

生活與工作整合

筆者認識不少只憑一股熱情就決定獨立創業，每天工作將近二十個小時的年輕人。**這些年輕人並不覺得自己「被強迫勞動」，因為他們所做的都是自己喜歡的事情，重點是也沒有人強迫他們得這麼做。**

所謂的「強迫勞動」，其實並不等於讓人長時間去幹一些累人的活。而是指自己必須聽令於人，只能身不由己地從事勞動工作。

我們可以看到，這些年輕人所實踐的並非「工作與生活的平衡」，而是**「生活與工作整合」**，也就是我所強調的「統合」。

「生活與工作整合」沒有把工作和生活區分開來，而是**「讓工作和生活好好地統合在一起」**。

與其被老闆使喚，只能沒日沒夜的工作。**以「生活與工作整合」的方式，由自己來控制工作時間和分量，絕對是較為理想的狀態。**「生活與工作整合」的好處如下——

第一，**我們將不再受限於工作的時間和地點**。

而這也同樣適用於「遠距工作」或「辦公渡假」（Workcation）。

第二，**容易掌控工作的節奏**。

工作過程中，大家一定都經歷過有時忙翻天，有時卻爽爽過的經驗。這就像日常生活中，有時我們會想專注在家事或休閒活動，有時卻可能無事可做一樣。只要我們在組織時間上保有彈性，那麼工作起來就會充滿節奏感，而有節奏感的工作模式，又能為我們創造出有張有弛的生活。

第三，**能提高個人的產出**。

想休息的時候就去休息，不要勉強自己工作，如此一來才能提高效率。

我們可以將「生活與工作整合」視為一種**「整體最適化」的思考方式**。這種思考方式不會把工作和生活分開，將其視為不同的兩種東西，而是**設法對這個包含了工作與生活在內的「整體人生」，進行「最適化」**。

將零散的「雜學」和「小知識」統合起來，把知識轉化為自己的「知肉」，這樣的思考方式，其實就是在對自己腦中所有的知識庫存進行「最適化」。**把工作和生活都視為自己的人生，將所有的知識都看做自己的知肉，對它們進行整體的最適化。**

這樣的「統合」，我認為是生活在當代的每一個人，都應該去做的事。

NOTE

國家圖書館出版品預行編目 (CIP) 資料

智慧型手機知識碎片化時代的閱讀力最新技術大全 = New reading skill encyclopedia / 佐佐木俊尚著 ; 林巍翰譯 . -- 初版 . -- 新北市 : 方舟文化出版 : 遠足文化事業股份有限公司發行 , 2022.11

面；　公分 . --（職場方舟 ; 21）

譯自 : 現代病「集中できない」を知力に変える読む力最新スキル大全

ISBN 978-626-7095-74-4（平裝）

1.CST: 資訊蒐集 2.CST: 資訊管理 3.CST: 網路

028　　111015218

職場方舟 0021

智慧型手機知識碎片化時代的「閱讀力」最新技術大全

把現代病「無法集中」轉為個人智能，「輸入」與「輸出」最大化！

現代病「集中できない」を知力に変える 読む力 最新スキル大全

作　　者　佐佐木俊尚
審　　定　重灌狂人 不來恩
譯　　者　林巍翰
封面設計　張天薪
內文設計　薛美惠
主　　編　林雋昀
行銷主任　許文薰
總 編 輯　林淑雯

出版者　方舟文化／遠足文化事業股份有限公司
發行　遠足文化事業股份有限公司（讀書共和國出版集團）
231 新北市新店區民權路 108-2 號 9 樓
電話：（02）2218-1417
傳真：（02）8667-1851
劃撥帳號：19504465　戶名：遠足文化事業股份有限公司
客服專線：0800-221-029　E-MAIL：service@bookrep.com.tw
網站　www.bookrep.com.tw
印製　通南彩印股份有限公司　電話：（02）2221-3532
法律顧問　華洋法律事務所　蘇文生律師
定價　520 元
初版一刷　2022 年 11 月
初版七刷　2023 年 8 月
ISBN 978-626-7095-74-4 書號 0ACA0021

方舟文化官方網站

方舟文化讀者回函

歡迎團體訂購，另有優惠，請洽業務部（02）2218-1417#1121、#1124